Prisonnière au Qatar

Récit

SOPHIE DUBÉ

PRISONNIÈRE AU QATAR

LES INTOUCHABLES

Les Éditions des Intouchables bénéficient du soutien financier de la SODEC, du Programme de crédits d'impôt du gouvernement du Québec et sont inscrites au Programme de subvention globale du Conseil des Arts du Canada.

Nous reconnaissons l'aide financière du gouvernement du Canada par l'entremise du Programme d'aide au développement de l'industrie de l'édition (PADIÉ) pour nos activités d'édition.

LES ÉDITIONS DES INTOUCHABLES
2316, avenue du Mont-Royal Est
Montréal, Québec
H2H 1K8
Téléphone : (514) 526-0770
Télécopieur : (514) 529-7780
www.lesintouchables.com

DISTRIBUTION : PROLOGUE
1650, boulevard Lionel-Bertrand
Boisbriand, Québec
J7H 1N7
Téléphone : (450) 434-0306
Télécopieur : (450) 434-2627

Impression : Transcontinental
Photographie de la couverture : Karine Patry
Conception de la couverture : Benoît Desroches
Infographie : Benoît Desroches et Mélanie Deschênes

Dépôt légal : 2005
Bibliothèque nationale du Québec
Bibliothèque nationale du Canada

ISBN 2-89549-185-2

NOTE AUX LECTEURS

L'éditeur n'endosse pas toutes les opinions exprimées par l'auteure, notamment en ce qui concerne la religion.

CARTE DU QATAR

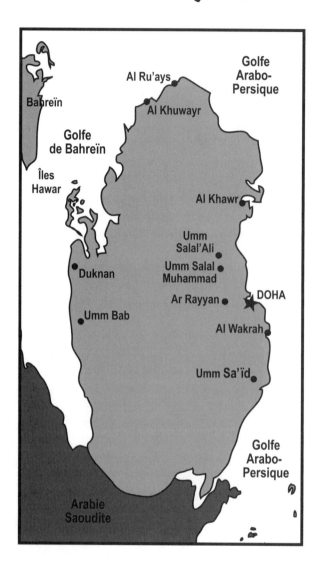

Superficie : 11 437 km²
Population : 560 000 habitants
Monnaie : riyal qatari
Langue : arabe
Religion : musulmane
Régime : monarchie absolue

INTRODUCTION

Prison. Pour tout le monde, ces deux syllabes désignent une punition que l'on se voit imposer par la justice suite à un acte répréhensible que l'on a commis. À moins d'être affligé d'une maladie mentale, si vous commettez un crime grave, l'idée de la prison vous effleure l'esprit avant, pendant et après le délit, cela va de soi. C'est un châtiment sévère qui marque à jamais et qui vous suit toute votre vie. C'est d'ailleurs l'une des raisons pour laquelle beaucoup de personnes renoncent à leur crime après avoir songé aux conséquences.

J'ai commis un crime. Un crime grave. Je me suis fait prendre la main dans le sac et on m'a traînée en justice. Mais, contrairement à beaucoup de criminels, je n'ai pas songé *avant* aux conséquences que cela pourrait avoir sur ma vie. Si j'avais réfléchi sérieusement, il est évident que jamais je ne me serais lancée dans l'aventure qu'un homme, en décembre 2003, m'a proposée et que j'ai acceptée.

En février 2004, le 28 plus précisément, à Doha, capitale du Qatar, je me suis fait arrêter pour avoir tenté d'encaisser de faux chèques de voyage. J'ai été jugée et condamnée.

Avant de m'y rendre, je ne connaissais même pas l'existence de ce petit pays d'un peu plus de cinq cent soixante mille habitants, situé entre l'Arabie Saoudite et les Émirats arabes unis. À titre d'information, sa monnaie est le riyal qatari, et son économie est essentiellement basée sur le gaz naturel et le pétrole. Le Qatar est une monarchie absolue, ce qui signifie que le roi a droit de regard sur tout ce qui touche de près ou de loin ses sujets.

À moins d'y avoir déjà séjourné, nous avons tous une conception plus ou moins réaliste de la vie en prison. La mienne, avant d'avoir vécu ce que je m'apprête à vous raconter, se résumait à une image : une cage avec des barreaux de métal. Une vision simple et un peu romantique, je vous le concède, d'un concept qui est beaucoup plus complexe et brut.

La prison, c'est l'isolement d'un être humain pour le bien de la société. Ici, au Québec et au Canada, même si une prison reste toujours une prison, les gens qui y séjournent sont relativement bien traités. Ils mangent trois repas par jour, les cellules sont propres, les prisonniers ont à leur disposition de l'équipement pour s'entraîner, ils ont accès à une panoplie de programmes afin de faciliter leur réinsertion sociale, et j'en passe.

Au Qatar, c'est quelque peu différent, vous allez le constater. De plus, c'est un pays dont la principale religion, l'islam, ne condamne pas, bien au contraire, les châtiments corporels. Et il a une vision différente, pour ne pas dire rétrograde, de la place qu'une femme devrait occuper dans la société. Un choc culturel, j'en ai vécu un vrai, qui me laissera traumatisée pour le reste de ma vie. J'aurai l'occasion d'y revenir un peu plus tard.

Mon (trop long) séjour au Qatar a ajouté, dans l'album à images que constituent mes souvenirs, des centaines de pages sur lesquelles de douloureux souvenirs sont dessinés. Mais je dois concéder que quelques parties me font chaud au cœur. Ce périple de plus d'une année m'a permis tout de même de faire la rencontre d'êtres humains merveilleux, dont l'éditeur de ce livre, Birgit, Andrew, Jocelyne et Yves, qui me sont venus en aide et qui ont fait en sorte que je puisse m'en sortir. Ce bouquin est d'ailleurs dédié à toutes ces personnes. Je n'aurai jamais assez d'une vie pour les remercier.

Mon cas a été fort médiatisé et je suis heureuse de pouvoir prendre le temps d'expliquer en détail ce qui s'est réellement passé. Cela me permettra, entre autres, de démentir certaines rumeurs, dont celle, persistante, que j'ai été victime des plans machiavéliques d'un gang de rue. Il n'y a rien de plus faux : j'ai surtout été victime de ma naïveté.

En toute modestie, je ne crois pas que mon histoire mérite d'être publiée, mais on est parvenu à me faire changer d'idée puisqu'elle est véritablement hors du commun. En effet, je me suis retrouvée à la merci d'une justice qui ne ressemble aucunement à la nôtre et qui est laissée à l'arbitraire des gens qui l'administrent. Physiquement, même si j'ai perdu du poids comme neige au soleil, j'ai été très peu maltraitée. Psychologiquement, c'est une autre paire de manches. À quelques occasions, j'ai craint de carrément devenir folle. À des milliers de kilomètres de chez moi, dans une culture qui n'était pas la mienne, sans argent, seule au monde et sans pouvoir m'exprimer puisque la seule langue que je connaissais était le français. C'était comme si j'étais enfermée dans moi-même. C'était un autre genre de prison, encore plus destructeur. Vous verrez pourquoi.

Si ce livre peut venir en aide à qui que ce soit, cela voudra donc dire que je n'aurai pas vécu ce calvaire pour rien. Sans en avoir la preuve absolue, je crois que ma présence dans une prison du Qatar a modifié les conditions de vie des prisonnières.

Sans plus tarder, voici donc mon histoire. L'histoire de Sophie Dubé, prisonnière au Qatar.

MA FAMILLE

Avant d'entrer dans le vif du sujet, permettez-moi de me présenter. Cela pourra vous éclairer, plus tard, sur certains comportements ou certaines réactions que j'ai eus.

Je suis née à Sherbrooke le 14 novembre 1985. Je suis l'aînée d'une famille de quatre enfants. Mes deux sœurs se nomment Catherine et Magali. J'ai aussi un frère, issu du second mariage de ma mère, qui se prénomme Clément Junior.

Ma mère, Suzanne Langlais, avait quitté le giron familial à dix-huit ans à la suite d'un coup de foudre qu'elle avait eu pour Daniel Dubé, mon père. En fait, je le considère davantage comme mon géniteur que comme un père.

Ma grand-mère maternelle est morte d'un cancer alors que ma mère n'avait que quinze ans. Son père est aussi décédé de la même maladie treize années plus tard.

Daniel Dubé a lamentablement failli dans sa tâche de père. Quel rôle doit jouer un homme qui a des enfants ? Au départ, il doit offrir à la mère un soutien indéfectible pour qu'elle puisse accomplir son rôle adéquatement. Puis, il doit travailler pour apporter un certain confort matériel à sa famille ainsi qu'offrir un toit et de la nourriture en quantité suffisante. Finalement, plus que tout, son comportement doit être impeccable, c'est-à-dire qu'il ne doit pas commettre d'abus physiques ou sexuels. Mon géniteur n'a rempli aucune de ses responsabilités. À mon sens, mon véritable père est Clément Grenier, l'homme que ma mère a épousé en secondes noces. Il nous a pris sous son aile et s'est occupé de nous comme si nous étions ses enfants. Il a mis un toit sur notre tête et de la nourriture sur la table. Il nous a donné de l'attention, de l'amour, et nous a écoutées. Je me sens privilégiée d'avoir connu un homme comme celui-là. J'ignore quelles auraient été les répercussions si Daniel Dubé avait été la seule figure paternelle de ma vie, mais cela aurait été sans doute catastrophique.

J'ignore pourquoi, mais je n'ai presque pas de souvenirs de mon enfance. Peut-être est-ce parce qu'inconsciemment je ne veux pas me la rappeler. Ma mère m'en a cependant raconté de grands bouts. Je lui fais confiance puisque ses dires se sont toujours avérés exacts.

Mon géniteur, bûcheron de métier, est un homme violent qui était plus souvent en état d'ébriété qu'à jeun. Il n'hésitait pas à utiliser ses poings pour nous corriger, même si nous n'avions rien à nous reprocher. Il nous jetait contre les murs pour des raisons qui restent, encore aujourd'hui, obscures. Ma mère, mes deux sœurs (même si elles étaient encore des bébés) et moi-même n'avons jamais été épargnées.

L'alcoolisme de mon père n'a pas uniquement ruiné sa vie, il a aussi détruit sa famille.

Daniel Dubé a aussi commis des agressions sexuelles sur ses filles. Pour ma part, je ne me rappelle pas avoir été agressée, mais je peux me remémorer des images d'un homme, sur un lit, qui touche mes sœurs. Cet homme, je n'arrive malheureusement pas à lui donner un visage. Bizarrement, le jour où ce souvenir émergea dans mon esprit, mes deux sœurs en parlèrent ouvertement à ma mère sans que nous nous soyons concertées.

C'est ma sœur Magali qui ouvrit le bal en se confiant à l'un de ses professeurs. Ce dernier contacta ma mère qui, à son tour, demanda de l'aide à un organisme à but non lucratif qui soutient les personnes victimes d'agressions sexuelles.

Mon géniteur fit face à des accusations d'agressions sexuelles. Il fut cependant reconnu non coupable en raison du manque de preuves. C'était la parole de mes sœurs contre la sienne. En bon manipulateur qu'il est, il a réussi à faire croire au juge qu'il était victime d'un complot. Je ne peux malheureusement pas témoigner, car je n'ai aucun souvenir concret de ce qui s'est passé. Il y a de fortes chances que j'aie été, moi aussi, victime de ce pervers.

Les policiers venaient souvent faire un tour à la maison parce que les voisins se plaignaient du vacarme des disputes entre ma mère et mon géniteur. Ma mère se faisait battre régulièrement, c'est-à-dire souvent, tout comme mes sœurs et moi. Sur mon corps, j'ai des cicatrices dont j'ignore l'origine. J'ai beau me creuser la tête, je n'arrive pas à me rappeler à quoi elles sont dues. Une de mes sœurs a dû se rendre à l'hôpital pour qu'on lui fasse des points de suture sur le genou après que mon père l'a projetée contre un mur. L'ouverture mesurait six centimètres et, encore aujourd'hui, il y a une marque bien visible. Aussi, elle porte des traces de brûlures sur les bras, résultat d'un « accident » avec la cuisinière.

Le divorce de mes parents fut pénible pour tout le monde, sauf, probablement, pour mon géniteur. Ma mère, ne pouvant plus supporter ces abus, décida un jour de nous sortir de cet enfer. Elle loua un appartement dans lequel nous allions nous réfugier. Elle apporta avec elle les électroménagers de base, un matelas et nos vêtements. J'ai alors cinq ans et ma plus jeune sœur, deux ans.

Mes grands-parents paternels rejetèrent la faute sur ma mère, même si elle faisait du mieux qu'elle pouvait pour nous faire vivre. Selon eux, elle est la source de tous nos malheurs, responsable également de l'échec de son couple. À leur avis, mon géniteur est blanc comme neige et il n'a rien à se reprocher. Leur attitude de déni et de soutien indéfectible est probablement la raison pour laquelle Daniel Dubé est un homme si lâche.

Un jour, on cogna à la porte. Deux huissiers présentèrent à ma mère un document leur permettant de prendre possession de certains biens qui étaient dans l'appartement. Ils firent le ménage : ils partirent avec le réfrigérateur, la cuisinière, la laveuse et la sécheuse, au grand plaisir de ma grand-mère paternelle qui assistait à la scène. Il ne nous restait que nos vêtements et un matelas sur le sol. Ma mère était dévastée et ne comprenait rien à ce qui se passait.

Mon géniteur avait réussi à persuader le juge que les électroménagers lui appartenaient et que ma mère était partie avec eux, sans son consentement. Il n'avait aucune considération pour nous. Que nous puissions être dans la dèche ne le troublait aucunement.

À l'opposé de mon père qui est prestataire de l'aide sociale et qui bénéficie, du même coup, de l'assistance juridique, ma mère, couturière, travaillait comme une démenée pour arriver à nous faire vivre. Daniel Dubé n'a jamais payé un sou de pension alimentaire, même s'il y était obligé par la loi. Ma mère ne l'a pas eu facile.

Notre sort ne laissait personne indifférent. Les éducatrices en garderie qui s'occupaient de mes sœurs, nos voisins et des connaissances donnaient de l'argent à ma mère pour qu'elle puisse respirer un peu. Ils lui offraient aussi le soutien psychologique dont elle avait bien besoin. D'autres encore nous apportaient de la nourriture.

Une fin de semaine sur deux, mes sœurs et moi devions aller chez notre père. Même si je protestais, ma mère me disait que j'y étais obligée par la cour. Au début, il ne s'agissait que de plaintes. Mais, graduellement, celles-ci se transformèrent en pleurs, puis en crises. Cela sapait le moral de ma mère de me voir dans un tel état.

C'était donc avec la mort dans l'âme que je passais deux jours chez mon géniteur. Deux jours pénibles à endurer ses amis alcooliques et ses fêtes pathétiques qui n'en finissaient plus. Il avait toujours une bouteille de bière à la main, et je me rappelle que les boîtes de vingt-quatre bières qui traînaient partout constituaient la seule décoration de sa maison. Il avait toujours de l'argent pour se saouler, mais jamais pour aider ma mère et nous, ses enfants.

Toute la journée, mes sœurs et moi restions enfermées dans notre chambre devant la télévision allumée en permanence. Nous dormions toutes dans le même lit simple. L'aînée que je suis s'occupait de ses petites sœurs du mieux qu'elle pouvait. Nous ne faisions jamais d'activités ou de jeux, et les seules interactions que nous avions avec notre père se déroulaient pendant les repas ou lorsqu'il nous battait. Jamais je n'ai reçu de caresses sincères ou de bons mots de sa part. Je le sais dangereux, c'est pourquoi j'ai toujours gardé mes distances avec lui.

Il a eu quelques copines, mais je ne me rappelle ni leur visage ni leur nom.

Parfois, c'était ma grand-mère paternelle qui nous gardait. Chaque fois, elle tentait de discréditer notre mère en essayant de nous faire croire qu'elle seule était artisane de nos malheurs. Puis, notre grand-père paternel prenait la relève. Au moment où nous nous y attendions le moins, il cherchait à nous laver le cerveau. Avec moi, cela n'a jamais fonctionné. Je n'ai jamais embarqué dans leur jeu.

Mes sœurs étant plus jeunes, donc plus influençables, elles ont peut-être été plus affectées que moi par ces tactiques déloyales. À mon avis, un enfant de cinq ans est beaucoup plus facile à manipuler qu'un autre de huit ans.

Mon père et ses parents se montraient fort généreux avec nous lorsque venait le temps de nous faire entrer une idée dans la tête. Ils ne voyaient aucun problème à nous acheter en nous donnant tout plein de babioles et en satisfaisant tous nos caprices.

Aussi, lorsque mon père nous battait et qu'il voulait acheter notre silence, il usait du même lamentable procédé. Une fois à jeun, il passait de longues minutes à s'excuser, à nous dire à quel point il nous aimait, qu'il agissait de la sorte pour notre bien et qu'il ne recommencerait jamais plus. C'était promesse par-dessus promesse. Évidemment, tout cela n'était que mensonges. Quelque temps plus tard, il semblait perdre la mémoire et nous flanquait des raclées. Et il recommençait à s'excuser et à nous offrir des cadeaux. Toujours la même histoire.

Lorsque nous revenions chez notre mère, elle devait se relever les manches pour nous faire comprendre que, dans la vie, le plus important n'est pas le matériel, mais l'amour. Ce n'est pas une mince tâche que d'expliquer cela à une petite fille de cinq ans qui a été gâtée pendant deux jours consécutifs !

Avec ma mère, nous n'avons jamais manqué d'amour. Si mon géniteur avait pu en acheter, il ne l'aurait pas fait parce qu'il ne sait même pas à quoi ça sert.

Lorsque j'y repense, je crois que mon géniteur se servait de nous comme de trophées. De nous voir dans sa maison lui prouvait qu'il avait eu le dessus sur ma mère et cela flattait son ego. Nous n'étions pour lui que de vulgaires bibelots qu'il brisait et recollait à son gré.

Chaque fois que quelque chose ne faisait pas son affaire, il traînait ma mère en cour. Il n'avait qu'un coup de téléphone à donner et une mise en demeure était envoyée. Parce qu'il est prestataire de l'aide sociale, son avocat ne lui coûte rien, alors que ma mère, pour se défendre, devait en engager un à ses frais. Vous en connaissez, vous, des avocats qui travaillent au salaire minimum?

Ma mère, n'en pouvant plus de son attitude, le confrontait dans le stationnement du palais de justice. Elle était furieuse qu'il continue, mise en demeure après mise en demeure, de vouloir la mettre au tapis pour l'écraser sous son pied alors qu'elle avait manifestement d'autres priorités, dont celle d'élever ses filles convenablement. Elle se levait tous les matins pour travailler alors qu'il ne savait même pas à quoi servait un réveil.

Un jour, je me promets de changer de nom de famille, même si cela implique plein de tracasseries administratives. Il ne mérite pas que je porte le sien.

Finalement, à force d'abuser de nous, il a dû en subir les conséquences: la cour ordonna, après que ses mauvais traitements aient été dévoilés, que l'on ne puisse le rencontrer que dans un local sous supervision, à Sherbrooke. C'était toujours désagréable, mais beaucoup moins que de séjourner chez lui. Puis, il est arrivé à quelques occasions qu'il ne se présente pas à l'heure convenue ou qu'il ne se déplace tout simplement pas, probablement trop ivre pour pouvoir poser un pied devant l'autre. Alors, nous n'avons plus été obligées de le voir.

Cela fait des lustres que je ne l'ai pas vu. La dernière fois, je crois que j'avais dix ans. Je ne m'en plains pas puisque je n'ai aucunement l'intention de le revoir. Il n'a rien à m'apporter, outre de pénibles souvenirs et des énergies négatives.

Il y a trois ans, je reçois un appel. Au bout du fil, la personne dit: «Devine qui c'est?» Il me supplie de croire qu'il n'a jamais rien fait et que, la méchante, c'est ma mère. Je ne le pas laisse pas finir et je repose le combiné.

Je le déteste sincèrement pour tout ce qu'il a fait endurer à ma mère, à mes sœurs et à moi-même. Lorsque nous en discutons, ma mère me dit que je devrais lui pardonner. Peut-être a-t-elle raison, mais j'en suis incapable. J'ai trop vu de souffrances générées par sa faute pour pouvoir passer à cette étape. Pour me libérer de cette mauvaise énergie, je devrais probablement consulter un psychologue. Mais cela devra attendre puisque, pour l'instant, je préfère regarder vers l'avant plutôt que derrière.

Malheureusement, mon géniteur m'a transmis quelques gènes dont j'aurais pu me passer. J'ai un mauvais caractère et j'ai envie, quelquefois, d'exploser. J'arrive difficilement à me contrôler, mais j'y parviens tout de même. À l'opposé de mon père qui se servait de nous pour se défouler, je n'ai jamais frappé quelqu'un sans raison. Lorsque la pression est trop forte, je flanque des coups de poing dans un mur et cela soulage temporairement ma hargne, même si mes jointures sont en sang. Après, par contre, je me sens moche et je pleure. C'est comme si c'était plus fort que moi. Je me demande ensuite pourquoi j'ai agi ainsi : cela ressemble tellement au comportement de mon géniteur ! Lui ressembler est pourtant la dernière chose que je souhaite.

Depuis que je suis de retour du Qatar, j'ai beaucoup de difficulté à gérer le stress de la vie de tous les jours et cela se reflète parfois dans mon comportement. J'ai vécu là-bas, à mon corps défendant, plus d'une année et demie et cela m'a marquée. Ici, je suis redevenue une citoyenne à part entière, libre, et surtout, sans crainte de me faire arrêter et de me faire jeter en prison. C'est toute une réadaptation.

Je crois que, toute ma vie, je devrai combattre ce volcan qui sommeille en moi et qui, parfois, entre en éruption. Je sais que ce ne sera pas aisé à faire, mais je sais aussi que, si je me laisse aller, je vais rendre les autres autour de moi malheureux, comme mon géniteur a si bien réussi à le faire. Celui-ci m'a peut-être transmis son caractère violent, mais ce n'est pas une raison pour en faire subir les conséquences aux autres. Toute ma vie, je vais lutter pour ne pas lui ressembler.

MES ANNÉES D'ÉCOLE

À l'école primaire, je n'étais pas une élève modèle. Je n'avais jamais été recalée, mais j'avais des notes très moyennes. En classe, il m'arrivait de faire le clown pour faire rigoler les amis. Leur réaction m'intéressait plus que ce que le professeur expliquait au tableau. Cependant, j'étais toujours respectueuse. Jamais je n'ai envoyé paître un professeur. Lorsqu'il me demandait de me taire, j'obtempérais, ce qui ne m'empêchait pas de recommencer à jouer à la bouffonne le lendemain.

Ma mère n'avait jamais le temps de m'aider à faire mes devoirs parce qu'elle trimait dur. Il m'arrivait donc de les négliger quelque peu, d'autant plus que je devais jeter un œil sur mes sœurs.

J'aimais l'école. Cela me donnait une autre perspective de la vie. Apprendre me faisait oublier la tension qui régnait à la maison. Ma mère faisait du mieux qu'elle pouvait, il n'empêche qu'elle devait arriver à boucler ses fins de mois avec un seul salaire. L'école était pour moi un havre de paix et j'en profitais tous les jours. Une fois, affligée d'une gastro-entérite, amenée à l'infirmerie d'urgence, on voulut me renvoyer à la maison. Je me battis bec et ongles pour retourner en classe, même si j'étais fiévreuse et que mon teint tournait au vert.

J'aimais apprendre et jouer avec mes camarades de classe. Mais gare à celui ou celle qui me défiait ! Je suis un garçon manqué. Peut-être est-ce en raison du traitement que mon père m'infligeait. Si l'on est irrespectueux à mon égard, je deviens maligne. Je n'ai jamais été soumise et j'ai pour devise : « Si tu me frappes, je te frappe. »

21

Mes amis étaient principalement des garçons parce que je trouvais les filles trop verbeuses. Elles parlent sans cesse, souvent dans le dos des autres, sans jamais agir. Cela m'agace au plus haut point. Je ne comprends pas pourquoi elles se comportent de la sorte et je n'y trouve aucunement mon compte. Je préfère régler mes problèmes directement, sans subterfuge.

J'étais une batailleuse et ma réputation avait fait rapidement le tour de la cour d'école, de sorte qu'on me craignait. Lorsqu'il y avait un problème, je parlais. Si je commençais à crier, il valait mieux fuir. En cinquième année, j'ai cassé le nez d'un camarade de classe parce qu'il m'avait poussée à bout. En deux coups de genoux, je l'avais mis K.O. Je me suis retrouvée, évidemment, dans le bureau du directeur qui m'a sermonnée longuement avant de m'imposer une suspension de trois jours. N'empêche, ce garçon ne m'a plus jamais harcelée.

Du plus loin que je me le rappelle, j'ai toujours eu une intolérance souveraine à l'irrespect, en raison probablement du traitement que mon père a réservé à ma mère. À force de la voir se faire traîner dans la boue, j'ai développé une allergie aux gens qui me maltraitent, autant verbalement que physiquement.

Ma mère voit d'un bon œil que sa fille soit capable de se défendre. Parce que je ne suis jamais l'instigatrice des bagarres dans lesquelles je suis impliquée, elle ne voit pas de mal à ce que je réplique coup sur coup.

Pendant mon éducation primaire, j'ai dû changer d'école à trois reprises en raison de déménagements. Chaque fois, je devais me faire de nouveaux amis et, de nouveau, je me refaisais une réputation de dure à cuire.

Entre-temps, ma mère fit la rencontre de Clément Grenier, un homme doux, calme et équilibré, aux antipodes de mon géniteur. Elle avait toujours dit que jamais elle ne tomberait amoureuse d'un fermier. Ironie du sort, Clément en est un. Ils se marièrent en 1995. Cela ajouta beaucoup de stabilité dans nos vies. Il nous traite, mes sœurs et moi, comme si nous étions ses vraies filles. Pour ma part, je le considère comme mon véritable père. Enfin, un homme prend ses responsabilités, met un toit sur nos têtes et de la nourriture sur la table. De cette union naît Clément Jr, mon petit frère. Lorsque je m'en occupe, je le considère un peu comme mon fils.

Mon géniteur tenta évidemment de discréditer Clément. Lorsque nous le voyions encore, il ne cessait de nous dire à quel point cet homme était vilain et qu'il allait nous rendre encore plus malheureuses. C'était sans fondement, évidemment. Daniel Dubé n'arrive pas à la cheville de Clément Grenier. Il n'y a d'ailleurs aucune comparaison à faire.

Physiquement, j'ai toujours été la plus rondelette de ma classe et je n'ai jamais pu m'identifier aux filles de mon âge parce que mon corps se développait plus rapidement que la moyenne. Lorsque je n'étais pas avec des garçons, je fréquentais des filles plus âgées que moi, mes cousines notamment.

Avec mes sœurs, plus je vieillissais, plus une distance s'établissait entre nous en raison de l'autorité que j'exerçais sur elles en l'absence de notre mère. Catherine et Magali s'entendent comme larrons en foire et il arrivait quelquefois qu'elles tentent de m'imputer la responsabilité de leurs mauvais coups. C'était de bonne guerre, leur grande sœur étant une cible parfaite. Au fil des années, ma mère m'attribua de plus en plus de responsabilités, dont celle de m'occuper de mes sœurs. Je devins un peu comme une mère pour elles.

Elles n'ont pas gardé de souvenirs concrets de ce qui se passait lorsque mon père était encore dans le décor. Elles se rappellent des coups et des abus sexuels, certes, mais moins des paroles blessantes et des injures qui menaient aux agressions. Elles n'ont pas la même définition que moi du mot « respect ».

Le primaire terminé, j'entame mes années d'école secondaire en me préoccupant de plus en plus de mon poids. Comme toute adolescente, mon corps change de plus en plus. Lorsque je me compare aux filles dans les magazines, je me trouve anormale. J'ai des hanches, des seins, et beaucoup trop de courbes. Même si l'on sait tous que les images dans les magazines sont retouchées au point de faire des mannequins des poupées de cire, il semblerait que le cerveau de certaines filles soit incapable de faire la part des choses.

En secondaire I, en raison de mes difficultés en français, j'intègre une classe que l'on qualifie de « spéciale », pour élèves en difficulté. J'ignore si c'est une bonne idée de regrouper dans une même classe les adolescents éprouvant des problèmes d'apprentissage. Dans mon cas, cela ne donna pas de bons résultats. Je passai l'année scolaire à bavarder avec mes copines. La classe était fort dissipée, bruyante et indisciplinée, bref, rien d'inspirant pour apprendre.

J'ai encore une réputation de fier-à-bras et je ne me laisse toujours pas marcher sur les pieds. Dès que quelqu'un rit de moi ou me taquine, je lui fais comprendre que je n'entends pas à rire. Malheureusement, cela ne me rend pas très populaire auprès des garçons, ce qui commence à m'affecter.

C'est cette année-là que je commence à consommer de la drogue, de la marijuana plus particulièrement. La région dans laquelle j'habite étant entourée de champs, ce genre de drogue est facilement accessible et, en plus, à prix modique. Les professeurs et la direction de l'école le savent, mais n'interviennent pas ou très peu. Une fois de temps en temps, un élève est suspendu pour avoir en sa possession de la drogue, mais c'est perçu davantage comme un encouragement à continuer qu'une punition.

À l'école, les vendeurs de drogue pullulent et beaucoup de mes camarades de classe fument de la marijuana. Au début, j'en consomme une fois de temps en temps. Puis, il me faut mon joint en me réveillant, à l'heure du dîner et le soir. J'assiste donc à mes cours dans un état second. En plus de mes camarades de classe turbulents, cela n'aide pas du tout à améliorer mes résultats. En fait, je me fous carrément de l'école. Je suis beaucoup plus intéressée à me sauver dans le bois situé derrière la polyvalente, pour consommer.

En secondaire II, à la suite d'un déménagement, je dois changer d'école. Lorsque j'y mets le pied pour la première fois, je sens une terrible angoisse m'envahir. Je ne connais personne et personne ne me connaît. Je suis désorientée et je ne peux pas m'accrocher à des amitiés qui auraient pu me servir de boussole.

Pendant une semaine, je ne prononce pas un seul mot. Dans les corridors, j'ai l'air d'un zombie. Je me sens seule et l'idée de passer le reste de l'année scolaire en solitaire m'angoisse au plus haut point.

Alors que je suis assise dans les escaliers, là où c'est interdit, une professeure m'interpelle et se met à me sermonner. C'en est trop: je fonds en larmes. Afin de briser la solitude qui m'entoure, elle me présente à la présidente du conseil étudiant, une fille un peu trop gentille à mon goût et qui veut devenir à tout prix mon amie. Elle me met en contact avec plusieurs personnes dont certaines sont encore mes amies aujourd'hui. Rapidement, mon moral s'améliore et aller à l'école n'est plus une torture. La présidente du conseil étudiant revient souvent à la charge mais, tout en la remerciant de son aide, je lui fais comprendre gentiment qu'elle ne m'intéresse pas comme amie.

En classe, ça se corse. J'ai une incartade avec une remplaçante en français. Elle s'appelle Sarah. Fraîchement sortie de l'université, elle a la tête remplie de théories qui ne tiennent pas la route quand on les confronte à la réalité. Elle veut montrer qu'elle est la patronne et qu'elle ne se laissera impressionner par personne. Elle me prend en grippe et tente de me casser.

Elle me fait passer un mois complet dans un local de retenue et cela n'a rien pour vivifier mon amour du français. Avec mon professeur régulier, il était possible d'avoir une discussion sensée. J'ai une personnalité explosive, certes, mais je sais m'adapter. Cependant, il faut un minimum d'effort de la part du professeur. Jamais ma prof n'avait tenté de m'intimider pour me faire plier, au contraire. Lorsqu'elle me surprenait à faire l'école buissonnière, au lieu de sévir sur-le-champ, elle me prenait à part et tentait de me faire réaliser l'importance de l'école, qu'il en allait de mon avenir. Si elle était restée, à force de me rappeler doucement à l'ordre, j'aurais peut-être fini par m'accrocher à mes études. Mais, avec la remplaçante, toute chance de prendre goût à l'école s'est évanouie. Le pire comportement qu'elle pouvait avoir avec moi, elle l'a adopté.

Avec mon professeur d'anglais également cela ne va pas. Depuis qu'il m'a demandé d'aller lire un texte devant la classe et que j'ai refusé net, il s'acharne sur mon cas. Je suis nulle en anglais et je ne désire pas que l'on m'humilie devant mes camarades de classe. Avec lui aussi, j'ai droit à des retenues.

Lorsque mon cœur bat pour un garçon, ce n'est jamais réciproque. Beaucoup de mes amies ont des copains, mais pas moi: ça ne clique jamais dans les deux sens. Je vis donc mon amour secrètement, en espérant qu'un jour le garçon me tende la main. Mais cela n'arrive jamais.

Je continue aussi à fumer de la marijuana. Le salaire que ma mère me verse quand je l'aide dans ses travaux de couture me permet de m'en procurer. Je passe la majeure partie de mon secondaire II étourdie par la drogue. Même si j'ai suffisamment d'amies, un mal-être prend graduellement racine en moi. Lorsque j'observe les autres filles et les compare à moi, je les trouve si petites que cela me complexe.

Du côté de ma mère, les femmes sont minces, mais chez les Dubé, elles sont bien en chair. Une autre caractéristique que mon père m'a transmise: l'imposante physionomie des Dubé. Chaque fois que je passe devant une vitrine, je me regarde de pied en cap et mon corps me dégoûte. Je possède certains traits des Dubé qui me donnent la nausée. Quand je me regarde dans un miroir, je me vois énorme et je me trouve plein de défauts physiques. Je me trouve trop différente des autres. Je dois, me dis-je alors, modifier mon apparence.

Je me mets à porter des vêtements de plus en plus amples pour cacher mes courbes. Et je commence à vivre des épisodes de culpabilité intense.

Il m'arrive d'ingurgiter des quantités phénoménales de nourriture jusqu'à ce que mon estomac menace d'exploser. Je ne peux pas m'arrêter, c'est plus fort que moi. Une fois cette compulsion passée, un sentiment de culpabilité me submerge. Je me sens dégoûtante et me dis que, si je suis grosse, c'est uniquement ma faute. Pour me déculpabiliser, je me fais vomir. Ce manège dure quelque temps. Je mange comme si je n'avais rien mis dans ma bouche depuis des jours, je me déprécie, puis je me rends à la salle de bains pour tout évacuer. Comme toutes les filles qui sont affectées par un trouble de l'alimentation, je ne me rends pas compte que ce comportement ne va rien régler, au contraire. Je m'enlise de plus en plus. Je perds un peu de poids, mais les garçons ne s'intéressent pas plus à moi.

Des amies interviennent. Elles mettent un mot sur mon problème, la boulimie, et me demandent de faire attention à moi. Au rythme où vont les choses, tôt ou tard, je me retrouverai à l'hôpital. Cela n'est pas aisé, mais j'arrête, peu à peu, de me faire vomir et j'entreprends de faire de l'exercice pour perdre du poids en jouant, notamment, au soccer. C'est plus sain et cela donne des résultats concrets.

Encore aujourd'hui, j'ai une relation trouble avec la nourriture. Et de toute évidence, mon séjour au Qatar ne m'a guère aidée. Je ne peux toujours pas manger seule, mais j'arrive tout de même à contrôler mes crises de boulimie lorsqu'elles surgissent.

En secondaire IV, je commence à reprendre goût à l'école grâce aux cours optionnels. Ils sont mieux adaptés à mes intérêts. Mais je demeure toujours aussi mauvaise en français et en anglais.

Pour célébrer mes seize ans, ma mère m'organise une soirée-surprise d'anniversaire. Mes amis et moi sommes au sous-sol, tandis que mes parents, un étage plus haut, ont décidé de nous laisser nous amuser. La soirée se déroule à merveille jusqu'à ce que je me rende à l'extérieur pour fumer de la drogue. Ce qui devait arriver arrive : je me fais pincer par ma mère. Pas moyen pour moi de nier, elle vient de me prendre sur le fait. Ses yeux font l'aller-retour entre mon joint et moi, puis elle entre dans la maison. Je me sens horriblement mal. Si, au moins, elle m'avait dit quelque chose, j'aurais pu essayer de me défendre. Elle a préféré partir sans prononcer un seul mot. Nous en parlons le jour suivant et elle me fait clairement savoir qu'elle est déçue. Par la suite, je réduis considérablement ma consommation de marijuana. Le regard navré que ma mère m'a jeté ce soir-là fut beaucoup plus dissuasif que toutes les campagnes du gouvernement contre les drogues.

L'été avant le début de mon secondaire V, je fais la rencontre d'une fille que j'appellerai Nadia pour préserver son anonymat. Elle est très volubile et sûre d'elle-même. Rien ne semble l'effrayer. Je travaille comme commis dans le dépanneur que mes parents ont acheté et elle vient y faire un tour de temps en temps. Elle me raconte ses péripéties qui me fascinent toujours. Cela ne prend pas beaucoup de temps avant qu'une amitié se développe entre nous.

Les parents de Nadia sont séparés et elle vit avec sa mère qui se fiche de ce qu'elle fait, ce qui nous laisse tout le loisir de s'éclater. Je travaille de sept heures à quinze heures. Après mon quart de travail, je me rends chez Nadia où nous buvons de la bière, beaucoup de bière. Et, par la même occasion, je recommence à consommer de la marijuana. Je commence aussi à expérimenter d'autres genres de stupéfiants plus durs. Crack, buvard, acide et cocaïne y passent. L'une de mes amies, à qui je tiens beaucoup, me sert un avertissement : si je continue dans cette veine, elle va devoir mettre une croix sur notre relation. J'ai cependant déjà entrepris une réflexion en ce sens. En effet, le jour suivant ma consommation, je ressens des effets secondaires pénibles. J'ai la nausée, des maux de tête terribles et le sentiment d'avoir cent ans. De plus, je repense à une connaissance que j'ai vue dépérir sous mes yeux, car elle n'avait pas su arrêter à temps. Elle est devenue complètement accro et ne vit maintenant que pour ça. On peut dire qu'elle est devenue esclave de la drogue. Je ne veux pas devenir comme elle. Après avoir mesuré les bons et les mauvais côtés, je décide de mettre fin à toutes ces expérimentations. Naturellement, je m'éloigne de mes mauvaises fréquentations et je concentre mes efforts sur les amies qui ont un rythme de vie plus sain.

Ma dernière année au secondaire est la plus belle et la plus captivante. J'ai dix-sept ans, je suis l'une des plus vieilles de l'école, je suis des cours de danse et, avec les garçons, ça débloque. Aussi, j'obtiens de bonnes notes dans les cours qui m'intéressent. Je bois de la bière une fois de temps en temps, par plaisir, mais sans abuser. Je sors aussi dans les bars pour m'éclater.

À la maison, après une dispute comme il en arrive dans toutes les bonnes familles, ma sœur Catherine décide d'aller vivre chez mon géniteur, qui habite en Ontario. Là-bas, elle obtient tout ce qu'elle désire parce que mon père a beaucoup de choses à se faire pardonner. C'est la solution de la facilité et je lui en veux d'avoir agi de la sorte. Notre mère s'est démenée pour pouvoir la faire vivre et elle la remercie en claquant la porte pour se rendre chez un homme qui a abusé d'elle. C'est absurde. Peu de temps après, elle revient à la maison, s'étant rendu compte qu'aucun cadeau, aussi dispendieux soit-il, ne vaut l'amour.

Le bal des finissants a lieu. J'en garde un très bon souvenir, même si je me suis un peu trop laissée aller. La fin du secondaire n'arrive qu'une fois dans la vie et j'en ai pleinement profité.

Ces cinq années au secondaire n'ont pas été de tout repos. Aussi étrange que cela puisse paraître, comme si le destin me faisait un clin d'œil malicieux, les événements qui vont suivre vont me confronter directement, une fois de plus, aux obstacles qui se sont dressés devant moi pendant mon secondaire, mais dans une tout autre proportion.

LA VIE APRÈS LE SECONDAIRE

Ma mère n'a jamais eu l'opportunité de terminer son secondaire. Et que dire de mon géniteur qui n'a probablement aucune idée de ce que le mot « diplôme » signifie. Chez moi, la poursuite des études à un niveau supérieur n'est pas un absolu. Ma mère me répète souvent que l'école est importante, que je dois persévérer, mais il est assez clair que je n'ai pas d'intérêt à faire de longues années d'études. Je veux pouvoir gagner assez d'argent pour louer un appartement, faire une épicerie toutes les semaines et me payer un petit luxe une fois de temps en temps. Si mes parents avaient été des universitaires, cela aurait peut-être été différent. Mais ce que je veux, c'est être indépendante le plus rapidement possible. Depuis que je suis toute petite, on m'a donné d'importantes responsabilités : je sens qu'il est temps pour moi de mettre un pied dans le monde des adultes en gagnant ma vie honnêtement.

Il s'est alors produit un événement qui a bouleversé mes plans.

Tel que mentionné auparavant, mes parents, c'est-à-dire Clément et ma mère, possèdent des dépanneurs dans la ville de Sherbrooke. Je travaille dans l'un d'eux ainsi que ma sœur Catherine. Un soir, alors que ma sœur est à la caisse, je me tiens dans l'arrière-boutique avec des amis, discutant de tout et de rien. Puis survient un cambriolage.

Lorsque Catherine vient m'annoncer ce qui s'est produit, mon cœur cesse de battre quelques instants. Je ne me suis pas rendu compte de ce qui s'est passé, trop occupée à déblatérer avec mes amis. Si j'avais été plus attentive, j'aurais peut-être pu faire en sorte que le vol n'ait pas lieu. Ma mère m'avait fortement déconseillé, voire interdit d'inviter des amis lorsque je travaillais. Je n'avais pas suivi ses conseils. J'appréhendais le moment où elle l'apprendrait.

Mes parents étant partis en camping, on m'avait donné la tâche de veiller à ce que tout aille bien et j'ai failli misérablement.

Je demande à ma sœur de me décrire le vaurien : la seule chose dont elle se rappelle, c'est qu'il portait un coton ouaté foncé.

Je saute dans mon automobile et décide de faire le tour du quartier, question de dépister le voleur. Entre-temps, Catherine appelle les services d'urgence pour signaler le vol.

Mes recherches sont vaines, il n'y a nulle trace, dans les rues de Sherbrooke, d'un quelconque malfaiteur. Je retourne, bredouille, au dépanneur.

Les policiers sont arrivés et questionnent ma sœur. En entrant dans le dépanneur, ils me regardent d'un œil mauvais. On me questionne, je dis la vérité : j'étais dans l'arrière-boutique du dépanneur avec des amis, je n'ai rien vu. Sans me demander la permission, on fouille mon automobile. On y retrouve, sur la banquette arrière, un coton ouaté appartenant à l'un de mes amis, qui l'avait retiré parce qu'il faisait trop chaud. On le montre à ma sœur, mais il ne correspond pas à la description : il est pâle.

Je suis en colère contre les policiers qui semblent me considérer comme suspecte alors que je n'ai absolument rien à faire avec le vol. Et de les voir examiner mon automobile comme s'il s'agissait d'une pièce à conviction n'a rien pour apaiser mon irritation.

Une fois le constat d'infraction rempli, ils repartent. C'est alors que je commets une autre erreur : ne pas appeler mes parents. Décision bête puisqu'ils auraient dû être les premiers avertis. Mais mon sentiment de culpabilité est si intense que je ne me sens pas la force de les affronter. Je sais qu'ils seront mis au courant tôt ou tard, mais je préfère repousser ce moment le plus longtemps possible.

Le lendemain, la catastrophe que je craignais a lieu : je me querelle avec ma mère.

Avec elle, nos accrochages ne sont jamais banals, ils sont toujours explosifs. Autant nos discussions peuvent être agréables, autant, lorsque les esprits s'échauffent, nos paroles peuvent faire des étincelles. Elle et moi avons la même manière de penser et souvent les mêmes goûts. La plupart du temps c'est positif, mais il arrive que nos face-à-face dégénèrent en prises de becs.

Ma mère ne comprend pas pourquoi je ne les ai pas avertis, elle et Clément, dès que le vol s'est produit. Je fais alors preuve de franchise et lui explique que j'avais invité des amis et que je ne voulais pas qu'elle le sache parce qu'elle m'avait formellement interdit d'en fréquenter lorsque je travaillais. Puis, le coton ouaté trouvé dans mon automobile surgit dans la conversation. Elle trouve mon comportement suspect et se montre sceptique. Pourtant, je lui ai raconté la vérité. Ses questions se font de plus en plus insistantes, comme si elle croyait que j'étais celle qui avait commis le cambriolage. Je me défends du mieux que je peux. Les mots deviennent de plus en plus durs et la situation dérape à un point tel que je fais mes valises et claque la porte.

Je me retrouve chez une amie qui m'offre gracieusement le gîte. Même si elle est très gentille avec moi, je ne m'y sens pas à l'aise. J'ai l'impression de déranger.

Le vol s'est déroulé pendant l'été. Au mois de mai, alors que je travaillais au dépanneur, j'avais fait la rencontre d'un homme avec qui j'avais tissé des liens d'amitié. Il est charmant et ses propos sont toujours intéressants. Même s'il s'agit d'une relation uniquement platonique, je suis toujours contente de le voir entrer dans le dépanneur. Il se prénomme Matunga et, lorsque je lui parle, il m'écoute véritablement, ce qui n'est pas le cas des autres hommes que je rencontre. À cette époque, j'avais décidé de mettre une croix sur les relations amoureuses. Je n'étais aucunement intéressée à établir des liens avec une autre personne pour que, quelques semaines plus tard, ça se termine en queue de poisson. J'en avais assez des gars qui ne pensaient qu'à eux-mêmes et qui m'utilisaient comme un gadget, bien qu'un peu capricieux. Je leur offrais mon cœur et, en retour, je n'obtenais que frustrations et désenchantements.

Même si j'avais coupé les ponts avec ma mère, je continuais à travailler pour elle dans un de ses dépanneurs. Matunga venait y faire un tour régulièrement. Je suis finalement retournée vivre chez ma mère, mais j'ai commis une autre erreur qui, à son avis, était impardonnable. Sa réaction est immédiate : elle me montre la porte.

Je raconte mes déboires familiaux à Matunga et il fait preuve d'une compassion inespérée. J'ai enfin une oreille attentive. Mon but n'est pas de décharger mes peines et angoisses sur ses épaules, mais bien de pouvoir les ventiler et ainsi les mettre en perspective. Je recherche aussi de l'objectivité, ce que Matunga me donne volontiers. Il peut faire la part des choses.

Il m'offre alors d'aller habiter dans son appartement, car il a justement une chambre libre. J'y pense une nuit, puis j'accepte. Cela me soulage d'une tension qui m'empêchait de dormir. Sans me l'avoir expressément dit, l'amie qui m'hébergeait avait laissé entendre que la situation devait être temporaire. Je la comprenais et je ne voulais pas m'imposer, mais je n'avais pas de sortie de secours. Je n'avais pas d'argent, j'occupais un emploi précaire, et louer un appartement était hors de question. Et, avec ma mère, la situation ne s'améliorait pas. Je ne pouvais donc retourner vivre chez elle. L'offre de Matunga arrivait à point nommé.

J'emménage chez lui. Nous nous entendons très bien, si bien, en fait, que j'en tombe amoureuse, même si je m'étais juré qu'on ne m'y reprendrait plus. Il est charmant et a un cœur gros comme le monde. Sa générosité me touche beaucoup. Il était également plus vieux que les autres gars que je côtoyais, ce qui lui conférait une aura de sagesse qui m'allumait au plus haut point.

De son côté, il a une copine et ne semble pas intéressé à développer avec moi autre chose qu'une franche amitié. J'en parle à quelques-unes de mes amies qui réagissent : elles prétendent qu'il sait que je l'aime et c'est pourquoi il a décidé de m'accueillir chez lui. Elles me disent qu'il joue avec moi, que ce qui l'intéresse vraiment est de manipuler mes sentiments. Lorsque je leur rétorque que je ne suis pas d'accord, elles me rappellent que je suis amoureuse, ce qui signifie que je ne peux faire preuve d'aucune objectivité. Oui, mon cœur bat pour lui, mais son comportement à mon endroit est irréprochable. Nous dormons dans des chambres différentes et il prend bien soin de préserver mon intimité. Il ne me jette jamais de regards louches que je pourrais mal interpréter et il est toujours courtois.

Pour la première fois de ma vie, un de mes amours secrets, si frustrants jusqu'à ce jour, se concrétise : il me déclare sa flamme. J'accepte volontiers sa proposition de former un couple avec lui.

Au cours des deux mois qui suivirent, je perdis une cinquantaine de livres. J'étais méconnaissable. Le stress occasionné par la dispute que j'avais eue avec ma mère et ses graves conséquences dans ma vie m'avaient coupé l'appétit. Toutes les courbes que je détestais tant sont disparues, mais pas pour les bonnes raisons. J'étais rendue à un tournant de ma vie, je le sais, mais je n'arrivais pas à savoir comment le négocier. Il me manquait quelques cours pour obtenir mon diplôme d'études secondaires, donc, en plus de travailler, je devais aller à l'école. Même si je me sentais d'attaque, cela m'effrayait quelque peu. J'entrais dans le monde adulte et son accueil était plutôt glacial.

Dans mon cercle d'amies, la machine à rumeurs s'était emballée. Elles croient que mon importante perte de poids est due à la drogue que je consomme, toujours selon elles, de manière abusive. Et elles en profitent pour intégrer dans leur délire mon copain qui serait la pierre angulaire de tous mes vices. Ma mère est mise au courant de ces ragots et cela envenime encore davantage nos échanges puisque je rejette du revers de la main toutes ses accusations.

Je n'ai jamais vraiment compris pourquoi mes supposées « amies » avaient agi de cette façon. Étaient-elles fâchées d'avoir été mises de côté ? Étaient-elles jalouses ? Pourquoi en parler à ma mère alors qu'elles savaient pertinemment que cela allait aggraver notre relation déjà houleuse ? Avec des amies comme ça, comme dit le dicton, pas besoin d'ennemies. Je me suis éloignée d'elles parce que je considère que leurs agissements étaient inacceptables. Comme si ce n'était pas suffisant, ma mère croit, à ce moment, que je suis devenue une *junkie*.

En août, ma mère vend les dépanneurs qui lui appartiennent. Je me retrouve sans emploi et il est urgent que je m'en déniche un autre. J'assume maintenant avec Matunga le loyer et je ne peux me permettre de passer mon tour.

Je trouve finalement un boulot dans une entreprise préparant des brunchs et des repas pour des compagnies privées. Mon travail consiste en l'élaboration de sandwichs et de pizzas. Je travaille dans un réfrigérateur géant, ce qui m'oblige, même s'il fait trente-cinq degrés Celsius à l'extérieur, à porter des gants et un manteau d'hiver. Je hais cet emploi que je trouve aliénant, mais au moins paye-t-il le loyer.

En septembre, je recommence l'école. Le jour, je travaille dans le réfrigérateur géant et, le soir, je me retrouve sur les bancs d'école. Ce rythme de vie m'épuise. Le problème avec mon emploi est que je dois terminer toutes les commandes avant de pouvoir partir le soir. Cela signifie qu'il m'arrive à l'occasion d'être encore au boulot à dix-huit heures, alors que mes cours débutent à dix-neuf heures. Je tiens à terminer les cours du secondaire que j'ai échoués, mais cela m'est de plus en plus pénible de tenir le coup. Combien de temps mon existence va-t-elle se résumer à travailler et à étudier? Je passe mes fins de semaine à étudier ou à dormir. Ce n'est pas une vie. Et parce que je suis partie de chez ma mère, je devrai toujours travailler, même si je veux entreprendre des études plus sérieuses. Plus j'y pense et plus je me dis que cette situation risque de se prolonger pendant plusieurs années.

Je suis prise dans un dilemme : je ne veux pas passer ma vie à exercer des métiers qui ne me stimulent pas et qui offrent des salaires dérisoires. Mais pour décrocher des emplois plus intéressants, il me faut poursuivre mes études et décrocher un diplôme…

Malgré ma lassitude et mon découragement, je poursuis sur cette lancée en me disant que peut-être, un jour, une opportunité va se présenter à moi. Ça ne coûte rien de rêver…

UNE OFFRE DIFFICILE À REFUSER

Au mois de décembre 2003, Matunga et moi sommes invités à une fête de Noël qui a lieu dans une salle communautaire. Même si je ne connais personne, je m'amuse.

Pendant la soirée, une connaissance de Matunga, que nous appellerons André, s'approche de notre table et vient discuter avec nous. Quelques instants plus tard, un ami d'André, que je prénommerai Simon, s'avance à son tour.

Simon est un homme noir d'une trentaine d'années. Au fil de la conversation, j'arrive à apprendre qu'il travaille dans l'import-export et qu'il habite Montréal. On lui livre des conteneurs dans le Vieux-Port de Montréal et il se charge de revendre les produits qu'ils contiennent.

Simon porte un habit et, quand je parle, il m'écoute avec attention. Je lui fais rapidement confiance, d'autant qu'il est l'ami d'un ami de mon copain.

Il me questionne au sujet de ma vie. Je lui raconte que je vais toujours à l'école et que je travaille, parallèlement, dans l'alimentation, dans un réfrigérateur. J'ajoute que c'est une situation temporaire puisque je cherche à améliorer mes conditions de vie, ne pouvant manifestement pas soutenir ce rythme très longtemps.

Je le sens fort réceptif. Il me pose des questions sur la façon dont je me sens, ce que je prévois faire pour me sortir de cette pénible situation.

La soirée se termine et je rentre chez moi aux alentours de quatre heures du matin. J'ai consommé pas mal d'alcool et la seule chose qui m'intéresse est mon lit.

À huit heures, on sonne à la porte. Je me réveille en sursaut, enfile ma robe de chambre et, le visage barbouillé de sommeil, j'ouvre la porte. C'est Simon et André. Je les questionne sur leur présence et ce qu'ils veulent. Simon me demande s'ils peuvent entrer. Dehors, il fait un froid de canard. Je leur dis oui.

Simon s'excuse de me réveiller et s'assoit sur le canapé. Il me dit qu'il devait absolument me voir maintenant parce qu'une tempête de neige se prépare et qu'il doit repartir à Montréal le plus rapidement possible.

Avant d'en arriver au but de sa visite importune, il prend le temps de me dire qu'il a eu de la compassion pour moi la veille, qu'il trouve ma situation terrible et qu'il a eu une idée durant la nuit, idée qui pourrait peut-être m'intéresser. Il réussit à attirer mon attention.

Il m'explique qu'il a en sa possession des chèques de voyage qui pourraient me rapporter gros en peu de temps. Dès le départ, il me rassure : tout est parfaitement légal. Il me dit que, pour faire d'une pierre deux coups, il me ferait faire un voyage, toutes dépenses payées, question que je m'évade quelque temps de mon quotidien morose. Il ajoute qu'il a eu de la pitié pour moi et que cela lui ferait vraiment plaisir que j'accepte.

Cette offre me déboussole. La situation est surréaliste et je ne sais vraiment pas quoi penser. Je lui demande de combien d'argent il est question. « Des milliers de dollars », rétorque-t-il en esquissant un sourire.

Ces mots, « des milliers de dollars », résonnent dans ma tête.

Avant de partir, il me dit qu'il va m'appeler dans quelques jours pour connaître ma réponse. Il me rappelle que cela lui ferait chaud au cœur s'il pouvait améliorer mon sort.

Je retourne me coucher. Matunga me demande qui c'était, je lui dis que je vais lui en reparler lorsque j'aurai dormi un nombre d'heures suffisant.

Une fois réveillés, je raconte à mon copain ce qui s'est produit. Il trouve cette proposition suspecte et me fait savoir qu'il n'est pas d'accord. Je ne réplique pas, je ne sais que penser.

Les jours qui suivent, je poursuis ma réflexion. Pendant que je prépare des pizzas ou des sandwichs sans croûte dans le réfrigérateur géant, je songe à la façon dont une somme substantielle d'argent pourrait changer ma situation. Toute ma jeunesse, j'ai vu ma mère gagner sa vie et la nôtre sou après sou. J'ai vécu la misère : ma famille a même déjà profité de l'aumône des voisins et de nos connaissances. La dernière chose que je veux est de remettre les pieds dans le marécage de la pauvreté.

Je m'imagine avec plaisir remettre ma démission à mon patron. Je me vois fréquenter l'école sans être lasse après une journée passée sur mes deux jambes. Je me vois me payer un peu de luxe, une grosse sortie dans un restaurant avec mon copain, une fois de temps en temps. Je me vois remplacer mes vêtements qui commencent à être défraîchis. Je me vois offrir des cadeaux à mes proches. Je me vois heureuse, enfin.

Je rêve de bagages, d'aéroport, d'avion et de voyage. Je ne suis jamais sortie de ma ville parce que je n'en ai jamais eu l'occasion. Voir de nouveaux horizons ne pourrait certainement pas me faire de mal. Cela serait une excellente occasion de connaître d'autres cultures.

J'en rediscute avec Matunga. Son opinion n'a pas changé : il considère que c'est une mauvaise idée. Le sachant jaloux, je me dis qu'il ne veut pas que je parte parce qu'il veut me garder tout près de lui. Je me braque et maintiens que c'est une chance en or sur laquelle je dois sauter, car elle ne repassera pas de sitôt. Nous nous disputons et, lorsque nous parvenons à nous calmer, ni l'un ni l'autre n'a changé d'idée.

Une semaine plus tard, je reçois un appel. C'est Simon. Il me demande si, finalement, son offre m'intéresse. J'hésite. Il me dit qu'il pourrait mettre la main sur un billet d'avion et que je dois lui répondre immédiatement. Je pense à la réaction de Matunga. Mais j'imagine surtout tout ce que cet argent pourra changer. « Oui, ça m'intéresse », soufflé-je. « Bien », répond-il. « Tu as un passeport ? » Évidemment, je n'en ai pas. « Très bien, me dit-il, nous allons t'en faire faire un. »

Le soir, une autre querelle éclate entre Matunga et moi. Je maintiens ma position.

Pour avoir en main mon passeport le plus rapidement possible, je dois me rendre à Montréal. Avec sa Jeep Cherokee, le lendemain, Simon vient me chercher à Sherbrooke. En route, il m'explique qu'il m'offre d'aller visiter une ville extraordinaire qui se nomme Dubaï. Je n'ai jamais entendu parler d'elle, mais cela semble excitant. Il me rappelle à quel point j'ai fait le bon choix.

Nous arrivons trop tard à Montréal: le bureau des passeports est fermé. Il m'emmène chez lui, à Verdun. Il habite dans un appartement avec sa femme et son enfant. Sa femme étant aussi timide que moi, nous échangeons des sourires, sans plus. Je joue un peu avec l'enfant, qui est adorable.

Je passe la nuit sur le canapé. Avant de m'endormir, je réalise que je suis dans l'appartement d'un inconnu et que je m'apprête à m'endormir sur son canapé.

Le lendemain, nous nous rendons, dès la première heure, au bureau des passeports situé au centre-ville de Montréal. Je remplis tous les formulaires nécessaires et présente mes pièces d'identité. Simon insiste pour payer les frais liés à la demande. J'informe le commis qu'il s'agit d'une requête urgente puisque, même si j'ignore la date exacte du départ, je sais que c'est bientôt. On me dit de revenir le lendemain.

Je retourne à l'appartement de Simon. Je passe le reste de la journée à regarder la télévision.

Le jour suivant, je prends possession de mon passeport. Simon vient me reconduire chez moi, à Sherbrooke. Sur la route, je lui pose quelques questions sur ce que je m'apprête à faire. Il m'explique que j'encaisserai des chèques de voyage American Express, qu'il l'a fait à plusieurs occasions, mais qu'il veut maintenant en faire profiter des gens comme moi, qui ont véritablement besoin d'argent et qui n'ont jamais voyagé. Je lui demande où se trouve Dubaï: il me répond que c'est une ville située dans un pays arabe. Je recevrai, poursuit-il, un certain pourcentage de l'argent que je vais récolter lorsque les chèques de voyage seront encaissés. Il ajoute qu'il assumera tous les frais de mon voyage, ce que je trouve normal dans les circonstances. Enfin, alors que je lui fais part des inquiétudes que j'aurai une fois rendue là-bas, il m'apaise en me disant qu'un de ses amis m'y attendra et qu'il me guidera. Je veux savoir aussi pourquoi il faut que je me rende si loin pour encaisser les chèques de voyage. Il m'explique que, là-bas, le taux de change est meilleur parce qu'il s'agit d'un pays riche. Riche à un point tel que, même en payant entièrement mon voyage, il est gagnant.

Il m'indique que j'encaisserai des chèques de voyage d'une valeur de cinq mille livres sterling. J'ignore totalement alors qu'il s'agit de la monnaie de la Grande-Bretagne et que cela représente une somme considérable : aux alentours de douze mille dollars canadiens.

Avant de refermer la portière, il me dit qu'il va bientôt m'appeler.

Noël arrive. Ma mère et moi nous nous réconcilions et je lui présente Matunga. Entre les deux, le courant passe. Elle constate d'elle-même que j'ai perdu du poids, mais que je n'ai ni le teint ni l'attitude d'une droguée. Nous avons beaucoup de plaisir et la fin de l'année 2003 annonce une année 2004 plus joyeuse.

Le 10 janvier, Simon me donne un coup de fil. Il m'annonce que je pars le 13 janvier pour Dubaï. En raccrochant, mon cœur bat la chamade. J'annonce à Matunga que mon départ est imminent. Il tente de me persuader de faire marche arrière. Je lui parle de la femme de Simon et de son enfant ainsi que de la confiance qu'ils m'ont inspirée. Je ne peux pas me permettre de passer à côté de cette chance. Une autre dispute s'ensuit. Je pars, qu'il le veuille ou non.

Je fais mes bagages à la hâte en espérant ne rien oublier. Le jour de mon départ, une amie vient me reconduire à l'aéroport Pierre-Elliott-Trudeau à Montréal. J'embarque dans un avion en direction de Paris. Je me sens comme une petite fille à qui on vient d'offrir un cadeau qu'elle espérait depuis des lunes. Excitée, je regarde par le hublot l'avion survoler Dorval, puis prendre la direction de la France. Durant le voyage, j'arrive à peine à relaxer.

Je débarque à Paris et prends un autre avion, celui-là en direction de Dubaï. En tout, j'aurai passé quinze heures à voyager.

Je mets les pieds à l'aéroport de Dubaï complètement vannée. Trop d'émotions en si peu de temps m'ont exténuée. Sur tous les panneaux, deux langues se côtoient : l'anglais et l'arabe. C'est le premier signe de dépaysement d'une série de plusieurs.

J'entre dans une très grande pièce aux dimensions d'un terrain de football, éclairée par des néons et ceinte, en haut, de vitrines formées par des carreaux de verre. Je me mets en ligne pour récupérer mes bagages. En attendant, j'observe. La chose qui me frappe le plus est l'habillement des femmes. Elles portent toutes de longues robes qui cachent leur corps. Certaines ont même le visage voilé.

Une fois mon passeport vérifié et mes bagages récupérés, j'avance dans l'aéroport, ne sachant trop où aller. Puis, j'aperçois un homme qui ressemble à Simon. Il me voit à son tour et s'approche. Il me tend la main et se présente en ne me donnant que son surnom : Pipo, frère de Simon. Il est chaleureux et semble content de me voir. Il est accompagné d'une fille qui semble avoir le même âge que moi. Elle s'appelle Jennifer. Elle est cependant beaucoup moins avenante avec moi. Elle me tend une main désintéressée et me regarde à peine.

En taxi, nous nous rendons à un hôtel où je partage une chambre avec Jennifer. J'essaie d'en apprendre un peu plus sur elle, mais elle demeure fermée comme une huître. La seule chose que je saurai est qu'elle est à Dubaï depuis deux semaines.

En mettant le pied dans la chambre d'hôtel, je ne prends même pas la peine d'ouvrir mes bagages. Je suis si fatiguée que je m'effondre sur le premier lit que je vois, sans même demander son avis à Jennifer. Je m'endors presque instantanément.

Brusquement, le lendemain matin, Jennifer me réveille. Elle m'annonce que nous devons prendre un avion pour Doha, là où nous allons encaisser les chèques de voyage. Si on m'avait demandé de pointer sur un globe terrestre le pays dans lequel j'étais, j'en aurais été incapable. Alors, qu'on me signifie que nous devons nous rendre à Doha, cela me laisse de glace. « D'accord », dis-je.

Lors du petit déjeuner, où je peine à avaler une gorgée de jus d'orange, je me fais une idée un peu plus claire de Jennifer. Même si elle fait des efforts pour être gentille avec moi, dans sa manière de parler, je sens chez elle du mépris et de l'hypocrisie. Elle a toujours le nez en l'air et rien ne semble la satisfaire. Les rôties sont trop grillées, les œufs, trop cuits et il y a trop de pulpe dans son jus d'orange. Et les gens qu'elle rencontre sont tous des abrutis.

Nous nous rendons à l'aéroport de Dubaï pour nous envoler vers Doha. Le voyage dure quarante-cinq minutes. Pipo affirme qu'une fois les chèques de voyage encaissés, je pourrai faire la touriste à ma guise. Il sort une liasse de papiers et me demande de signer chacun d'eux dans le coin supérieur gauche. Il s'agit de chèques de voyage American Express qui semblent, à mes yeux, authentiques. Comme Simon me l'avait décrit, il y a le chiffre cinq mille écrit dessus. Alors que j'en signe quelques-uns, Jennifer détourne la tête.

En débarquant de l'avion, nous apercevons dans l'aéroport même un bureau de change. Pipo me dit que je peux aller y encaisser un chèque de voyage. J'hésite un peu, mais il esquisse un geste d'impatience. «Si tu veux de l'argent, il faut que tu y ailles», me dit-il. Il ajoute qu'il va rester à l'écart pour s'assurer que tout va bien.

Je me présente au guichet. Je sors de mon sac un chèque de voyage et le présente au commis. Il marmonne quelque chose en anglais et la seule chose que je trouve à répliquer est «*yes*». Je n'ai rien compris.

Il constate que mon anglais est médiocre. Il pointe le bout de son stylo sur le coin inférieur gauche. Il répète «*sign*» à quelques reprises. Je signe mon nom. Il le reprend et compare mes deux signatures, question de s'assurer que celle dans le coin supérieur gauche correspond à celle dans le coin inférieur gauche. Je trouve la procédure quelque peu stupide puisque je viens d'apposer, il y a moins d'une demi-heure, la première signature. Qu'importe, après avoir emprunté mon passeport pour en faire une photocopie, cela fonctionne : il me remet de l'argent. En tout, approximativement trente-quatre mille riyals, le riyal étant la monnaie du Qatar. Je le remercie et retourne voir Pipo à qui je remets l'argent. Il le compte et me remet six mille riyals. Pendant quelques secondes, j'observe les billets de banque, puis je les redonne à Pipo. Je lui demande de l'argent canadien ou américain. Je ne sais que faire avec des riyals. «Alors, tu devras attendre», me dit-il.

Nous sortons de l'aéroport et nous nous séparons. À l'extérieur, il fait une chaleur si écrasante que j'ai de la difficulté à respirer, mais je m'y habitue assez rapidement. Je remarque les palmiers qui s'élèvent vers le ciel, comme des balais inversés. C'est la première fois que j'en vois de si près.

Il y a la mer, aussi, qui s'étend à perte de vue et qui est d'un bleu pur. Le ressac produit un son apaisant.

Même si je suis totalement dépaysée, je me sens bien. De ce décor se dégage un quelque chose qui me calme.

J'en profite pour aller me promener dans le souk. C'est un endroit assez bruyant rempli de kiosques ou de magasins. La marchandise déborde de partout. On y vend aussi de la nourriture. Les odeurs, mêlées les unes aux autres, m'enivrent. Pour les sens, c'est un véritable paradis.

Les vendeurs se font insistants. « *Young lady, come here, please, please!* » ne cessent-ils de me répéter. Je n'ai pas d'argent mais, lorsque Pipo me remettra mon dû, je compte y retourner pour y faire quelques achats.

Je retrouve Pipo qui me remet deux mille dollars. Je n'ai jamais vu autant d'argent réuni et cela m'enchante. Je fais comme si cela me laissait indifférente et empoche les billets. Mais, une fois seule, dans le cabinet d'une salle de bains, je les ressors pour les admirer, les toucher et les sentir. J'ai l'impression d'être riche et que le monde m'appartient. Je me sens privilégiée d'avoir sauté sur cette occasion qui s'est présentée à moi. Certes, même si je ne voulais pas me l'avouer, j'avais quelques doutes quant à la légalité de l'affaire mais, parce que cela s'est passé sans anicroche, je me sens rassurée.

Je retourne dans le souk et constate, avec stupéfaction, que les produits qu'on y vend sont très peu chers. Si bon marché que je songe, avec le deux mille dollars, à faire de l'importation et à ouvrir un petit magasin une fois revenue à Sherbrooke. Je pourrais vendre de la vaisselle, des vêtements et des chaussures, et faire des profits intéressants.

J'achète de l'or, des bijoux et une kyrielle de cadeaux pour mes sœurs et ma mère qui seront ravies, j'en suis certaine.

Il faut savoir qu'à Doha les gens travaillent de sept heures à midi, puis reprennent le collier à seize heures. Donc ce n'est qu'à seize heures que Pipo et moi partons à la recherche d'une banque pour encaisser d'autres chèques de voyage. Jennifer fait de même et je comprends maintenant qu'elle n'apprécie pas ma présence parce qu'elle aimerait probablement être la seule à encaisser les chèques de voyage et à récolter de l'argent. Elle profite elle aussi de la générosité de Simon, mais elle ne semble pas vouloir partager.

En tout, ce jour-là, j'encaisse vingt-cinq mille livres sterling en chèques de voyage et Pipo me remet quatre mille dollars. J'ignore totalement ce que vingt-cinq mille livres sterling, converties en dollars canadiens, représentent. Si j'avais su, je me serais posé des questions parce que j'ai remis à Pipo plus de cent soixante-dix mille riyals, soit à peu près cinquante-six mille dollars canadiens.

Mais mon esprit est trop absorbé par les quatre mille dollars que j'ai faits en moins d'une heure de «travail». Dans le réfrigérateur géant, je gagne aux alentours du salaire minimum, soit sept dollars et quarante-cinq de l'heure. Je fais le calcul : pour arriver à quatre mille dollars, je dois travailler, à Sherbrooke, cinq cent trente-six heures, et c'est sans compter toutes les retenues gouvernementales. Cinq cent trente-six heures représentent quatorze semaines de travail, si on considère que je travaille trente-sept heures et demie par semaine. Il n'y a aucune comparaison à faire.

La dernière fois que j'encaisse un chèque de voyage, le guichetier vérifie l'authenticité du document que je lui remets en mouillant son pouce et en le frottant dessus.

Il est une heure du matin lorsque nous retournons à l'hôtel situé à Dubaï. Je m'endors en pensant à tout ce que je pourrai faire de l'argent que j'ai récolté, à tous les gens autour de moi à qui je pourrai faire plaisir. Pour la première fois de ma vie, je ne ressens pas la peur de manquer d'argent et c'est un grand soulagement.

LE DEUXIÈME VOYAGE

Avec un peu moins de quatre mille dollars en poche en raison des achats que j'ai faits dans le souk de Doha, mais les valises remplies de cadeaux, je retourne à Sherbrooke, la tête pleine d'espoir. Ma vie a pris un tout nouveau tournant et je compte en profiter pleinement.

Dès mon retour, je donne ma démission à mon patron. Plus question de travailler dans des conditions comme celles qui prévalent dans ce réfrigérateur géant. Mon patron l'accepte tout en affichant un air sceptique devant le détachement avec lequel je lui en parle.

C'est la fête, à Sherbrooke. Je fais profiter de ma soudaine fortune tous mes amis et bien plus encore. Je croise dans les parties que j'organise des gens que je ne connais même pas. Même s'ils boivent l'alcool que j'ai acheté, cela ne me dérange pas. L'important est qu'ils s'amusent.

L'argent se liquéfie entre mes doigts et, en quelques jours, mes réserves sont à sec.

Simon me donne un coup de fil de Dubaï: il me demande si cela m'intéresse encore de retourner au Qatar. Et comment! J'accepte sur-le-champ. L'argent m'a permis de connaître autre chose que la misère et j'y suis devenue accro. Les gens m'aiment (pour les mauvaises raisons, mais ils m'aiment quand même!) et j'adore ça. Je dois refaire ma garde-robe et je veux acheter un cadeau à Matunga qui serait à la grandeur de l'amour que je lui voue. De toute façon, je me dis que je n'ai pas le choix puisque je n'ai plus d'emploi.

Le 2 février, soit deux semaines après mon premier départ, je me retrouve de nouveau à Dubaï. Pour les chèques de voyage, la procédure est la même : je signe dans le coin supérieur gauche et, devant le commis, j'appose ma signature dans le coin inférieur gauche. Il compare les deux griffes, cela concorde, il fait une photocopie de mon passeport et j'ai l'argent. Je remets le tout à Pipo qui, quelques heures plus tard, me donne de l'argent canadien. Je retourne dans le souk et fais quelques achats.

Dans la chambre d'hôtel, je reçois un appel de mon copain, qui semble en état de choc. Il m'explique que ma mère a défoncé la porte de l'appartement et qu'elle voulait à tout prix savoir où j'étais. Matunga a préféré ne rien dire à ma mère. Et son silence l'a rendue violente.

De retour de Floride, deux de mes « amies », à qui je n'avais pas parlé depuis belle lurette, sont allées voir ma mère et lui ont dit que j'étais devenue une prostituée de luxe qui vendait son corps dans des pays éloignés. Et, toujours selon elles, je consommerais encore de la drogue à un rythme effarant, ce qui expliquerait ma taille de guêpe.

Je parviens à obtenir ma mère au téléphone. Parce que je ne veux pas l'inquiéter outre mesure, je lui dis que j'ai reçu une invitation que j'ai acceptée, de la part de la parenté de Matunga, de venir visiter leur coin de pays. Comme pour le cambriolage du dépanneur quelques mois auparavant, elle ne semble pas me croire, mais cela a au moins le mérite de l'apaiser quelque peu.

Je lui ai menti, mais je ne ressens aucune culpabilité. Je ne veux pas qu'elle porte un jugement sur ce que je fais. De l'extérieur, racontées à froid, mes pérégrinations semblent effectivement suspectes. Il faut les vivre de l'intérieur pour comprendre que c'est plus simple qu'il n'y paraît.

Également, je sens qu'il y a quelque chose d'irrégulier dans l'échange des chèques de voyage. Sans être illégale, Simon exploite une faille du système qui ne sera peut-être jamais découverte. Je biffe de mon esprit toute pensée qui affaiblirait le plaisir que j'éprouve à posséder de l'argent, mon argent. J'ai beaucoup souffert de la pauvreté et c'est un juste retour des choses que je puisse jouir d'un peu de richesse. Et comme le dit l'adage, ce que l'on ne sait pas ne fait pas mal.

Le 6 février, je retourne au pays en catastrophe. En entrant dans notre appartement, je remarque une tache de sang sur le mur. Je demande à Matunga ce qui s'est passé : il me montre une plaie que ma mère, en colère, lui aurait faite. Il n'avait pas voulu me le dire au téléphone, mais il a dû appeler les policiers à sa rescousse.

Je constate que mes mensonges ont des conséquences insoupçonnées et, comme un jeu de dominos, dès qu'il y en a un qui perd l'équilibre, il fait tomber les autres.

La relation entre ma mère et moi se détériore de plus en plus. Quand elle me pose des questions sur mes déplacements, je me borne à lui répondre que je suis allée visiter la famille de Matunga, en Afrique. Mais cela n'explique pas pourquoi je me retrouve avec une somme d'argent considérable et je laisse cette question en suspens. Entre-temps, des accusations de voies de fait on été portées contre ma mère. Elle n'a dès lors plus le droit d'entrer en contact avec mon copain.

Mon deuxième voyage m'a rapporté quatre mille dollars. Encore une fois, j'organise des fêtes monstres chez moi. Les gens qui y sont invités sont gâtés : l'alcool est gratuit et il coule à flots. Je fais aussi des razzias dans les centres d'achats où je comble tous mes désirs, même les plus superficiels.

Une amie me fait part d'un rêve qu'elle entretient depuis longtemps : aller à Cuba pour profiter de ses plages à perte de vue. Je lui offre de lui prêter un certain montant d'argent pour qu'elle le réalise, mais ce n'est pas assez pour elle : elle veut y demeurer deux semaines afin d'en profiter pleinement. Va pour deux semaines.

Mes économies fondent comme neige au soleil. Une fois le loyer et l'épicerie payés, et avec les dépenses folles que j'ai faites, il ne me reste qu'un maigre pourcentage de ce que j'ai rapporté de Doha. Je dois y retourner.

Je reçois un appel urgent de l'amie partie à Cuba : elle est tombée malade et doit absolument recevoir des soins. Elle me supplie de lui envoyer quelques centaines de dollars, ce que je fais. Cette fois, je suis complètement à sec. Même plus d'argent pour aller faire une épicerie.

J'annonce à Matunga que, dès que Simon me rappelle, je repars pour Dubaï. Il n'est pas d'accord. Il me demande quand cette frénésie de l'argent dépensé va s'arrêter. Je lui promets que, la prochaine fois, je l'économiserai. Le temps des parties qui se terminent au petit matin est terminé. Il ne me croit pas et affirme qu'au rythme où vont les choses, je devrai me rendre à Dubaï au moins deux fois par mois, ce qu'il ne tolérera pas.

Au cours du mois précédent, j'ai eu en ma possession huit mille dollars qui m'ont brûlé les doigts. L'argent, comme s'il s'agissait d'une drogue, me rend euphorique. Je me promets d'être plus sage la prochaine fois, même si je sais que c'est un engagement que je pourrai difficilement tenir.

Mon copain est en colère contre moi, mais je persiste. Dès que Simon me fait signe, je repars.

JAMAIS DEUX SANS TROIS

Le 24 février 2003, je repars pour Dubaï. Comme si cela était annonciateur de ce qui allait se passer, rien ne va. Je prends l'autobus pour me rendre à l'aéroport Pierre-Elliott-Trudeau. Je passe à quelques minutes de rater mon vol.

L'avion est rempli à craquer, alors qu'habituellement il n'y a personne. Les deux personnes entre lesquelles je suis assise ont des fessiers plus gros que la moyenne et je me sens serrée comme ce n'est pas possible. Ça me donne la nausée. De plus, une des personnes dans l'avion porte un parfum qui agresse mes narines et me donne une migraine. Je n'arrive pas à fermer l'œil, il fait trop chaud dans l'avion. Le voyage dure une éternité.

Je fais escale à Athènes, en Grèce. Je dois attendre parce qu'il y a un problème d'horaire et que l'avion n'est toujours pas arrivé. Les responsables de la compagnie aérienne répètent que tout rentrera dans l'ordre bientôt, sans toutefois préciser combien de temps cela prendra. J'attends, finalement, plus de vingt-quatre heures avant de prendre mon vol pour Dubaï. J'ai dormi quelques heures sur un banc, j'ai toujours la nausée et je n'arrive pas à manger. Je bois de l'eau pour ne pas me déshydrater.

À deux heures du matin, le 26 février, j'arrive à Dubaï. Dès que j'entre dans la chambre que Pipo m'a réservée, je m'effondre sur le lit. Je me réveille parce que l'on cogne à ma porte. C'est Pipo qui m'annonce que le vol pour Doha est prévu le 28 février, à huit heures. J'écoule les heures en me promenant à l'extérieur et en regardant la télévision.

Le 28 février, c'est le départ pour la capitale du Qatar. Je n'ai plus l'émerveillement du début et la seule chose que je désire est d'encaisser les chèques de voyage le plus rapidement et de repartir pour le Québec. Qu'il y ait des palmiers dans les rues ou que les femmes se promènent toutes voilées, je m'en fous : c'est l'argent que je veux.

Je me rends au bureau de change de l'aéroport de Doha et je sors un chèque de voyage. Je me rends compte que j'ai oublié de le signer dans l'avion. Je m'empare du stylo et appose ma griffe dans le coin supérieur gauche. « *What are you doing?* », me demande le commis, interloqué. Je relève la tête et remarque qu'il me regarde comme si je venais de commettre une bourde monumentale. En anglais, il m'explique que le chèque n'est pas bon s'il est signé devant lui. Je le remets dans ma sacoche en marmonnant quelque chose d'inintelligible et en prends un autre, celui-là déjà signé. Tout en gardant un œil sur moi, il va photocopier mon passeport et me remet les riyals. Il me souhaite de passer une belle journée.

Je retourne voir Pipo et je lui demande ce qui s'est passé. Il me dit de ne pas m'en faire. Mais j'insiste et lui raconte que le guichetier m'a regardée comme si je venais de commettre un crime grave. Il rétorque : « Ne t'inquiète pas, je te dis, j'ai fait une erreur, j'aurais dû te dire que les chèques de voyage doivent être signés avant de les présenter pour les encaisser. Ce n'est pas grave, ça arrive souvent. »

Je donne les riyals à Pipo qui les compte. Il semble irrité. J'ai d'autres questions à lui poser, mais je me retiens. Un autre jour, lorsqu'il sera de meilleure humeur, je reviendrai à la charge.

Pipo me remet deux mille dollars que j'enfouis dans ma sacoche.

Pipo m'amène à une banque que nous n'avons jamais visitée. Pas de veine, elle est fermée. Il décide donc d'aller à une autre banque. Celle-là, je la connais. À onze heures, je me présente à un guichet. En anglais, le commis me demande si je vais bien. Je lui réponds par l'affirmative. « *Are you sure you're doing well?* » redemande-t-il. Je le regarde et fronce les sourcils. « *Yes, I'm sure* », dis-je.

Son comportement est véritablement étrange. Les guichetiers sont habituellement blasés et ne font jamais preuve d'une aussi grande attention à l'endroit de leur client, surtout pas de leur cliente. Lorsqu'ils ne sont pas carrément froids, ils sont impassibles.

Il me demande immédiatement mon passeport. Je le sors avec un chèque de voyage que je signe dans le coin inférieur gauche, comme d'habitude. Je lui remets les deux documents. Il me fait signe d'attendre.

J'attends. Longtemps. Onze heures et demie passe. Midi moins le quart. Toujours pas de trace du guichetier. À midi, on ferme le grillage de la banque. À l'intérieur, je demeure seule avec les employés. Je regarde à l'extérieur. Pipo est toujours là, mais il semble nerveux. Il se promène de long en large.

Enfin, lorsque le guichetier revient, je lui demande ce qui se passe. Il me tend le chèque de voyage rempli de graffitis en arabe. « *No good* », me dit-il. Son anglais est teinté d'un fort accent arabe. D'incompréhension, je soulève les épaules : « *What no good ?* » Il me répète : « *No good.* » Je bafouille que c'est impossible, qu'il y a erreur sur la personne. Mon anglais est misérable, ce qui fait en sorte que je ne peux m'exprimer que par des gestes. Je me demande s'il s'agit d'une blague, je ris. Le guichetier affirme qu'il a appelé la police et qu'elle s'en vient. De mes lèvres, mon sourire disparaît. « *Police ?* demandé-je, *why ?* » Encore une fois, en pointant du doigt le chèque de voyage American Express, il dit : « *No good.* »

En levant mon index, je lui fais signe d'attendre un instant. Je pointe du doigt Pipo qui a le dos accoté sur le mur du restaurant McDonald's. « *Friend* », dis-je. Le guichetier entrouvre les grilles et hèle Pipo. Pipo regarde à gauche et à droite, comme s'il n'avait pas entendu le commis. Puis, il se pointe du doigt, l'air de dire : « Est-ce à moi que vous parlez ? » Nonchalamment, il avance vers nous.

Le guichetier, en anglais, lui demande s'il me connaît. Il me regarde avec dédain et fait non de la tête. C'est à ce moment précis que je réalise que je suis dans le pétrin.

CRIMINELLE

Même si Pipo parle en anglais avec le guichetier, je comprends tout. Le plus sérieusement du monde, il affirme ne pas me connaître.

Je proteste vivement.

Pipo se ravise et dit qu'il n'a fait que me mener ici, sans savoir ce que je venais y faire. Il réitère qu'il ne me connaît pas.

Le guichetier s'empare de la manche de son t-shirt et veut l'entraîner dans la banque avec moi. Pipo donne un coup d'épaule pour se défaire de l'emprise du commis et affirme que ce ne sont pas de ses affaires, qu'il n'a rien à voir avec moi. Mais le guichetier, jaugeant ma réaction, tient mordicus à ce qu'il reste. Pipo lui dit qu'il n'a pas à rester puisqu'il n'est pas son prisonnier.

En reculant, Pipo me regarde et me dit qu'il va appeler un avocat de l'ambassade. « Ambassade ? rétorqué-je, quelle ambassade ? » Il déclare que je ne dois pas m'inquiéter, que tout va se régler. Et il décampe.

C'est la dernière fois que je l'ai vu.

Entre-temps, une foule s'est agglutinée autour de la banque. Les gens me pointent du doigt et chuchotent entre eux. Je commence à être gênée et je sens l'anxiété s'infiltrer lentement en moi. Je parviens à la contrôler en me disant qu'il s'agit d'un bête malentendu.

Lorsque j'entends une automobile freiner brusquement, je me retourne et vois trois policiers et une policière en descendre. Mon anxiété monte d'un cran. Ils échangent avec le guichetier quelques phrases et il leur remet le chèque de voyage. La foule se fait de plus en plus dense et je n'arrive pas à croire ce qui se passe. Je ne réalise pas que c'est moi qui suis l'objet de cette curiosité.

Un des policiers avance et, avec brusquerie, commence à me bombarder de questions en anglais. Je n'en comprends aucune. Il parle trop fort, trop vite, et son accent est à trancher au couteau.

Un autre policier prend la relève. Il veut savoir où est mon « ami ». Je lui réponds que je ne sais pas. Il s'énerve. Il veut savoir ce que je fais au Qatar. Même si je savais m'exprimer adéquatement en anglais, je ne saurais que dire. Le policier qui n'est toujours pas intervenu se met de la partie. J'essuie une autre salve de questions auxquelles je n'offre aucune réponse.

La policière, petite et trapue, me traîne dans la voiture de police. Nous roulons quelques minutes jusqu'au poste où on me fait entrer dans une pièce. Un homme d'une quarantaine d'années m'y attend. Il hurle pour que je réponde à ses questions. Parce que cela m'intimide, je me ferme comme une huître. Il me demande dans quel hôtel je séjourne à Doha. Je souffle que c'est au Gulf Hotel. Ses yeux s'arrondissent de colère : le Gulf Hotel n'existe pas. J'ajoute que j'occupe la chambre 410. Il sort de la pièce et va parler à ses collègues. Il revient et, comme s'il venait de découvrir que j'avais voulu lui mentir, il me dit, avec dédain, que mon hôtel est le Gulf Horizon. J'opine de la tête. Je lui dis que Pipo est aussi à cet endroit, mais dans une autre chambre. Il ressort en gueulant.

Je passe des heures dans cette étroite pièce où je me sens comme dans un sauna. Il n'y a pas d'air qui circule et je commence à avoir des vertiges parce que je n'ai pas mangé depuis longtemps : le matin, j'avais décidé de sauter le petit-déjeuner.

Je demande au policier, en mimant, un verre d'eau. Il fait oui de la tête, sort, mais ne revient pas. Je n'ose pas me lever pour faire une autre demande parce que je crains de m'évanouir. Enfin, un autre policier entre. Je le supplie de me donner un verre d'eau, ce qu'il fait. Même si l'eau est tiède et qu'elle goûte la rouille, l'effet est instantané : je reprends contenance.

Dans le corridor, il y a des discussions animées. J'en déduis que c'est de moi qu'on parle. Un policier revient et affirme que Pipo n'est plus à l'hôtel. « *Where he is?* » grogne-t-il. Je ne sais pas. Il n'apprécie pas ma réponse et flanque un coup de poing sur le bureau.

J'apprendrai plus tard que Pipo fut retrouvé et mis en état d'arrestation à son retour de Doha, en descendant de l'avion à Dubaï. Sur lui, les policiers retrouvèrent une somme d'argent considérable, mais pas de chèque de voyage. Il s'en était probablement débarrassé quand il a senti que la soupe devenait trop chaude. Par la suite, au Koweït, il est resté trois mois au poste de police. Là-bas, le temps de l'enquête, ils peuvent détenir des gens pendant deux ans avant de les envoyer en prison. Puis, il a été transféré à Doha où il a purgé trois autres mois dans le même établissement carcéral que moi.

Après une longue attente, on me transfère dans l'édifice du Ministère public, une bâtisse blanche à plusieurs étages. On me présente une femme qui sera ma traductrice. Dès qu'elle me dit bonjour, je lui demande de l'aide. Sa réponse : un sourire.

Un autre homme me fait subir un interrogatoire serré, cette fois en présence de la traductrice. Au bout de quelques minutes, je commence à avoir des doutes sur sa faculté de comprendre le français. Quand je lui parle, elle me regarde avec un air ahuri. Quand elle traduit ce que l'homme, qui se fait de plus en plus pressant, me demande, je ne comprends rien. Et elle ne semble pas très bien saisir mon accent québécois. Rien ne va.

Le fonctionnaire jette sur la table une dizaine de feuilles et me demande de les signer. Tout est en arabe. Je refuse. Une autre colère. Il fait dire à la traductrice que, sans signature, jamais je ne pourrai partir. Il ne cesse de répéter « *inch' Allah* » après chaque phrase, ce qui signifie « si Dieu le veut ».

La traductrice m'explique maladroitement que les documents devant moi sont l'acte d'accusation. Le fonctionnaire du Ministère n'a de cesse de nous couper la parole. Il fait dire à la traductrice une dizaine de fois que, si je ne signe pas, je ne pourrai jamais partir. « *Inch'Allah* ! »

Il a fait la découverte de mon point faible et l'exploite sans retenue. J'ai la tête qui bourdonne comme si elle contenait une ruche remplie d'abeilles en colère. J'ai faim, j'ai soif, j'ai chaud et j'ai la nausée. Je m'empare du stylo et, là où le fonctionnaire me dit de signer, je m'exécute. Parce que c'est écrit dans une langue qui ne ressemble aucunement au français, j'ignore totalement ce que j'atteste. Quand j'ai terminé, le fonctionnaire esquisse un large sourire, ramasse toutes les feuilles et sort.

On m'amène à l'hôtel Gulf Horizon pour que je récupère mes biens. Les policiers entrent avec moi et entament la recherche d'indices. Chaque coin de la pièce est passé au peigne fin. On tire les draps et on fait basculer le matelas. On renverse la télévision pour voir s'il n'y aurait rien derrière. Le dessous du lit est fouillé. Ils virent tout à l'envers.

Nous retournons au poste de police. Là, je suis accueillie par deux matrones qui m'arrachent mon sac. Elles sont grosses et elles semblent s'être parfumées à la transpiration. Elles renversent mon sac sur un bureau pour établir la liste de mes biens. Elles me jettent des regards remplis de mépris, comme si j'allais payer pour toutes les autres filles qui ont encaissé des chèques de voyage avant moi. Je n'en ai pas la certitude, mais je crois avoir été coincée dans un réseau de fraudeurs et je suis la seule à avoir été attrapée.

Les policières me poussent dans une petite pièce qui, à ce que j'ai compris, va me servir de chambre pour la nuit. Il y a deux chaises, c'est tout. Je m'assois sur l'une d'elle et j'attends le sommeil. Les deux policières entrent pour me surveiller.

Seule avec moi-même, sans policier qui me crie dans les oreilles, je songe à ce qui s'est passé et la seule chose qui me vient à l'esprit est de demander pardon à Dieu. Je n'ai jamais été croyante mais, cette nuit-là, au poste de police de Doha, seule au monde, la seule personne à laquelle je peux m'accrocher pour me donner la force de passer à travers cette épreuve est Dieu.

Je parviens à dormir, mais je me réveille aux quinze minutes. Le poste de police est bruyant et les deux policières qui me surveillent ne sont pas des modèles de quiétude. Elles discutent entre elles comme si je n'étais pas là. C'est sans compter les douleurs au cou qui me font grimacer : je n'arrive pas à appuyer ma tête.

Le 29 février, à sept heures, je suis réveillée par un coup de pied. On me renvoie au Ministère public où l'interrogatoire se poursuit. Je fais la connaissance d'un nouvel interprète qui arrive à comprendre ce que je dis, et vice versa. On me montre des photocopies de passeports de plusieurs filles qui viennent du Québec, notamment, et qui ont réussi à encaisser de faux chèques de voyage avant moi. Non, je n'en connais aucune. Le fonctionnaire ne me croit pas et se fâche.

On m'exhibe alors d'autres passeports. Cette fois, je reconnais Pipo et Simon. Jusqu'au soir, je subis, sans relâche, un bombardement de questions. Les fonctionnaires se relayent. Ils veulent savoir ce que je faisais au Qatar, qui est Pipo, combien d'argent j'ai récolté, s'il y a d'autres filles qui vont mettre les pieds dans le pays, etc. Du peu que je savais, je disais la vérité : on m'a offert de venir encaisser des chèques de voyage, j'ai accepté, j'ai pris l'avion, j'ai effectué des transactions et je suis repartie. Point à la ligne.

On m'apprend que je ne suis pas en Arabie Saoudite, comme je le pensais, mais bien au Qatar. Avant que le fonctionnaire ne me l'apprenne, je n'avais aucune idée que ce pays-là existait. Les fonctionnaires ont peine à croire tout ce que je leur dis, mais je maintiens toujours la même version des faits et je ne me contredis pas, même si, parfois, je deviens confuse. Lorsque j'hésite parce qu'étourdie par le nombre de questions, le fonctionnaire en place croit avoir trouvé une faille dans mon histoire et redouble d'ardeur.

Lorsque je sors du Ministère public, il fait nuit. J'ignore l'heure qu'il est, mais je suis exténuée. On me fait monter dans un autobus blanc où il y a des femmes, cinq en tout. Tout le reste de l'espace est occupé par des bagages, dont les miens. Je fais la rencontre d'une femme complètement voilée, Laïla, qui parle un peu français. Elle me raconte qu'elle a été mise en état d'arrestation pour avoir fait l'amour avec un homme avec qui elle n'était pas mariée. Lorsqu'elle me demande de lui narrer mon histoire, un flot de mots sort de ma bouche de manière ininterrompue. Cela me soulage de pouvoir parler à quelqu'un qui m'écoute et ne me juge pas.

Nous faisons un premier arrêt devant un bâtiment blanc avec de grandes portes. Deux filles descendent. Laïla m'explique qu'il s'agit de l'endroit où l'on déporte les indésirables. Il y a là des gens de plusieurs origines différentes.

L'autobus repart pour un voyage dans le désert qui dure quarante-cinq minutes. Il y a du sable à perte de vue et, pendant le périple, nous ne croisons aucun véhicule. Puis, un point foncé apparaît à l'horizon. C'est la prison. Elle est entourée de barbelés. Je me dis, en les voyant, qu'ils sont parfaitement inutiles puisqu'un prisonnier qui s'évaderait ne résisterait pas longtemps à l'aridité du désert. La prison est située en plein milieu de nulle part.

L'autobus s'arrête à une barrière. Un soldat armé d'une carabine entre dans l'autobus, nous regarde et prend les papiers que le chauffeur lui tend. La barrière s'élève et l'autobus s'engage sur le chemin.

Un peu plus loin, il y a un autre arrêt obligatoire. Un second soldat examine l'autobus. C'est bon, nous pouvons passer.

Je remarque que la prison est ceinte de tours d'observation dans lesquelles des gardes armés sont postés.

Des gardiennes de la prison nous font sortir de l'autobus.

Je suis transie de peur. On me passe dans un détecteur de métal. Puis des policières scrutent les cartes que j'avais sur moi et les papiers relatifs à ma détention.

La prison est séparée en huit blocs. Un seul est consacré aux femmes. Laïla, une autre fille qui se nomme Atkma et moi allons dans une grande cour, puis nous tournons à gauche. Nous entrons dans le bloc huit. Encore une fois, nos papiers sont vérifiés.

On nous trimballe dans ce qui ressemble à une cafétéria. C'est ignoble. Les tables grouillent d'insectes et les planchers sont collants. Une odeur de détritus flotte dans la pièce.

Quatre policières nous prennent en charge. Elles regardent mes pièces d'identité et rient des photos de mes proches qu'elles trouvent dans mon portefeuille. Une fois la rigolade terminée, une des policières me fait signe que je peux emporter avec moi un pantalon et un t-shirt. Le reste de mes vêtements, elle les fourre dans un sac sur lequel elle inscrit le numéro qui m'a été assigné : 59.

On me donne une couverture et un matelas pliable. On nous sépare : les Qataries Laïla et Atkma vont en bas. Les étrangères, c'est en haut.

Je monte. Je franchis une grille ouverte. Il y a un corridor et, de chaque côté, des cellules d'environ trois mètres par trois mètres. Il y a, notamment, des Indiennes, des Philippines et des Indonésiennes. On m'indique une cellule où il y a déjà quelqu'un de couché qui me fait dos.

On me remet une pièce de tissu et on m'ordonne de toujours la porter. Je la déplie et me rends compte que c'est un hijab. Lorsque je l'enfile, je réalise véritablement l'ampleur de mes problèmes. J'ai dix-huit ans, je suis en plein milieu du désert au Qatar, je n'ai personne sur qui compter et personne au Québec ne sait où je suis. De plus, à mon étage, personne ne semble parler ma langue.

Le plancher de la cellule est fait de béton. J'y étends mon matelas et je me couche en espérant me réveiller et que tout cela ne soit qu'un mauvais rêve. Je voudrais pleurer de désespoir, mais je n'en ai pas la force. Je vais passer les dix-huit heures suivantes à dormir.

PRISONNIÈRE AU QATAR

Je me fais réveiller très tôt le lendemain matin par des cris soutenus qui proviennent de la cour. En fait, je l'apprendrai plus tard, il s'agit plutôt de chants coraniques et ce sera comme ça tous les matins.

Je me rends aux toilettes situées à l'extérieur. Ce sont de petits espaces cloisonnés où, sur le sol, il y a un trou en forme de poire inversée. Il y a un liquide brunâtre dedans et une odeur pestilentielle s'en dégage. À côté est posé un seau d'eau destiné à se « purifier » une fois nos besoins essentiels accomplis, une tradition musulmane.

Nous nous rendons à la cafétéria où est servi le petit-déjeuner. Même si je ne me rappelle pas quand j'ai mangé la dernière fois, je ne touche pas à ce que l'on me sert : un pain pita sec et une bouillie orange qui me donne mal au cœur.

Lorsque nous remontons, la fille qui partage ma cellule s'approche de moi. Nous faisons connaissance. Elle se prénomme Claudia. Elle me donne des conseils : ne fais confiance à personne, reste silencieuse et ne demande jamais rien. Elle veut savoir ce que je fais ici et je lui explique. Je lui renvoie l'ascenseur : j'apprends qu'elle s'est fait prendre à effectuer des transactions frauduleuses par carte de crédit. Elle me donne du dentifrice et un savon pour me dépanner.

Je demande à Claudia s'il est possible de téléphoner. Elle m'indique qu'il faut que je fasse une demande officielle auprès des autorités de la prison. Devant une des gardiennes, je mime un appel téléphonique. La réponse ne se fait pas attendre : c'est un non catégorique. Je n'insiste pas.

Je ne mange pas de toute la journée et l'eau que j'ingurgite me donne des maux de ventre terribles. Dans ma tête, c'est le capharnaüm. Je ne sais aucunement à quoi m'attendre. Depuis quatre jours, je n'ai pas pu donner de nouvelles à qui que ce soit. Je crains qu'on ne puisse jamais me retrouver et cela m'angoisse.

De six heures jusqu'à midi, nous pouvons nous promener ou parler dans une cour carrée à l'extérieur. De midi à treize heures, c'est le déjeuner. On nous enferme de treize heures à seize heures. Par la suite, nous pouvons retourner dehors jusqu'à vingt-trois heures.

Je passe ma journée prostrée dans un coin à écouter les conversations que tiennent les autres prisonnières. Elles parlent toutes des langues qui me sont inconnues. J'ai l'impression que je vais devenir folle.

Lorsque que je suis sur le point de craquer, je m'empare d'un chapelet qui m'a suivie dans mes bagages et que j'ai réussi à apporter sans que personne ne s'en rende compte, lors de mon admission. Je prie Dieu pour qu'il me donne la force nécessaire pour passer à travers cette terrible épreuve. Ce n'est pas vain : je ressens soudainement une force bienfaitrice qui me fait comprendre, comme un grand courant chaud me traversant le corps, qu'elle est là pour m'aider et qu'elle ne me laissera pas tomber.

Le 3 mars, on me conduit à l'infirmerie. Le médecin qui me reçoit, un Indien, est surpris lorsque j'entre dans son bureau. C'est la première qu'il voit une Canadienne si jeune. Il me fait une prise de sang, me demande un échantillon d'urine et me fait passer une radiographie des poumons avec une machine qui semble sortie tout droit des années cinquante.

Je lui demande s'il peut m'aider. Sur un bout de papier, je griffonne le numéro de téléphone de Matunga. Je le supplie de le contacter pour qu'il me vienne en aide. Prestement, il glisse le bout de papier dans la poche de son sarrau.

Je retourne dans la cour. Claudia m'explique que la plupart des filles emprisonnées ici sont accusées d'avoir eu un « boyfriend ». Quelques-unes sont des femmes de ménage qui n'habitent pas le Qatar et qui ne viennent à Doha que pour travailler. Même si la religion qu'elles pratiquent n'est pas l'islam, elles n'ont aucunement le droit d'entretenir une relation avec un homme. Plus tard, j'apprendrai quel sera leur châtiment.

Je consacre tout mon temps à écouter les autres et à tenter de découvrir ce qu'elles disent. Les minutes paraissent des heures et je souhaite de tout cœur que le médecin réussisse à joindre mon copain. J'ai commis des actes répréhensibles, j'en conviens, mais il y a des circonstances atténuantes qui doivent être prises en compte. Il faut que je puisse me défendre.

Depuis mon arrivée, chaque jour, les gardiennes crient des numéros après le petit-déjeuner. Chaque numéro correspond à une détenue qui doit par la suite se rendre à la cour. Le 4 mars, c'est mon tour. Une des gardiennes gueule le numéro 59 en arabe. Je ne réagis pas. Elle appelle une deuxième fois ce numéro. Claudia, l'Américaine, me donne un coup de coude. C'est mon numéro !

En camion, accompagnée d'une gardienne, on m'amène à la cour située à une heure de la prison. Je porte, pour la première fois, le hijab à l'extérieur de la prison. La sensation est désagréable. Il fait chaud et j'ai l'impression qu'il s'agit d'un autre genre de prison. J'ai de la difficulté à m'imaginer porter ce vêtement toute ma vie. J'étouffe.

De plus, j'ai l'impression d'avoir perdu mon identité, d'être devenue une femme comme toutes les autres. À Doha, les femmes qui se promènent dans les rues ressemblent à des spectres. Je ne veux pas devenir un fantôme.

L'édifice devant lequel le camion stationne comporte une dizaine d'étages et me rappelle vaguement quelque chose. En mettant le pied dans le hall d'entrée, je me rappelle qu'il s'agit du Ministère public.

On me fait entrer dans un local à peine plus gros que ma cellule. Derrière un bureau de bois se tient un homme qui porte une moustache. C'est un fonctionnaire. Un traducteur entre. Il s'appelle Whalid, un timide trentenaire. Le fonctionnaire me demande ce que je veux. Par l'entremise de Whalid, je lui dis que je veux quitter la prison et retourner chez moi, au Québec. Il hésite un instant, feuillette un peu la paperasse qu'il a devant lui et me dit de revenir dans une semaine.

En sortant de son bureau, un homme m'approche. Il est petit, porte une tunique et a les cheveux tout blancs. Il affirme qu'il peut m'aider parce qu'il est avocat. Je lui donne le numéro de téléphone de Matunga et lui demande de le joindre. En serrant dans sa main le bout de papier sur lequel il a écrit les informations que je viens de lui donner, l'homme à la tête blanche me dit qu'il va aussi appeler l'ambassade et me promet de me trouver de l'argent. Cela me rassure. L'homme semble prendre mon cas au sérieux et fait plein de révérences avant de me laisser.

Je ne verrai jamais la couleur de l'argent promis.

Durant les jours qui suivent, mon état empire. L'eau brune que l'on me donne à boire en prison me rend malade. J'ai des maux de tête, des brûlements d'estomac et la diarrhée. Claudia me dit qu'il n'y a rien à faire, que mon corps va s'habituer. Pendant ce temps, lorsque je ne suis pas à la toilette, je reste couchée sur mon matelas.

Le 7 mars, n'ayant toujours pas de nouvelles de Matunga, j'insiste pour téléphoner à mon ambassade. Dans la prison, deux femmes, des travailleuses sociales, se chargent d'acheminer aux bonnes personnes les demandes des prisonnières. Elles se prénomment Mona et Fonda. Je leur explique mon cas, dans un anglais approximatif, et leur dis qu'il est impératif que je donne un coup de fil. Elles écrivent sur un formulaire ma demande, me la font signer et vont la porter dans un autre bureau, où on décide si oui ou non on accède à ma demande. La réponse ne se fait pas attendre : c'est non.

C'en est trop, j'éclate en sanglots. Mona et Fonda font du mieux qu'elles peuvent pour me consoler, mais elles ne peuvent pas comprendre à quel point je suis désespérée. Elles m'expliquent qu'en premier lieu, pour téléphoner, il me faudrait de l'argent pour pouvoir acheter une carte d'appel. Tout l'argent que j'avais m'a été confisqué. Dépitée, je retourne dans ma cellule.

Les heures passent. Il n'y a rien à faire en prison. Il n'y a pas de gymnase, pas de bibliothèque, rien. En fait, pour seul divertissement, il y a une télévision allumée en permanence dans la cafétéria qui diffuse uniquement des discours d'hommes politiques. Personne ne la regarde, mais elle est là, en bruit de fond.

Le 8 mars au matin, je perçois qu'il y a de la nervosité dans l'air. Mes camarades de cellule parlent moins qu'à l'habitude et marchent sur la pointe des pieds, comme si elles ne voulaient pas déranger. Après le petit-déjeuner, cinq filles sont appelées à l'extérieur. Elles se rendent dans la cour. Je me tourne vers Claudia, interloquée. Elle me fait signe de me taire.

Quelques minutes plus tard, des bruits de claquements retentissent. Je comprends rapidement qu'il s'agit de coups de fouet. À chaque coup, le visage de mes camarades de cellule blêmit parce qu'elles redoutent qu'un jour elles doivent y passer aussi.

Une heure plus tard, les cinq filles reviennent en marchant le dos voûté. Les autres prisonnières les font asseoir et relèvent leur hijab. Une image d'horreur s'offre à moi : leur dos est strié de marques rouges, bleues et mauves. Elles pleurent en silence pendant qu'on leur applique des compresses d'eau. On a remis à chaque femme qui a reçu un châtiment un morceau de carton pas plus gros qu'un paquet d'allumettes, couvert d'une mince couche de crème blanche. C'est aussi inutile qu'insultant.

Tous les lundis, cinq femmes reçoivent une punition proportionnelle au crime qu'elles ont commis. Vingt, quarante ou quatre-vingts coups de fouet. Les femmes sont placées à genoux devant la capitaine du bloc huit, Mama Aïcha, qui tient tendu leur hijab.

Le bourreau, d'une main, donne des coups de fouet, tandis que sous son autre bras se trouve un Coran.

Dans la cour, pendant qu'elles se font corriger, les femmes se font un point d'honneur de ne pas pleurer. Par orgueil, mais également pour ne pas attiser la colère du bourreau.

Mais, une fois à l'abri des employés de la prison, elles se laissent aller dans une suite ininterrompue de pleurs et de gémissements. Et je n'ai pas de mal à croire que leurs plaintes sont sincères. Il y a aussi du soulagement dans leurs sanglots puisque, une fois fouettées, cela signifie que leur séjour en prison tire à sa fin. Elles vont bientôt être déportées.

En regardant les plaies dans le dos de l'une des suppliciées, un incomparable sentiment d'horreur s'empare de moi. Ces cinq filles ont été reconnues coupables d'avoir entretenu une relation avec des hommes sans être mariées. Qu'adviendra-t-il de moi qui ai commis, il me semble, un crime plus grave que le leur ? À combien de coups de fouet vais-je avoir droit ? Cent ? Deux cents ? Et si c'était la mort qu'on me réservait ?

Ici, ce n'est pas comme au Québec où l'accusé peut se défendre comme il l'entend, avec l'aide d'un avocat ou seul. Ici, le système m'apparaît comme un mystère. Dois-je engager un avocat? Si oui, avec quel argent? Et comment puis-je faire pour convaincre les responsables de la prison de m'accorder le droit d'appeler? Il me faut de l'argent à tout prix.

Même si, depuis ma naissance, le manque d'argent semble être l'histoire de ma vie, je ne m'y habituerai jamais. Au Qatar, je n'ai pas de connaissances généreuses ni même d'emploi mal rémunéré. Au Qatar, je n'ai rien.

Après un moment de paralysie dû à l'horreur que les plaies vives de mes camarades m'ont inspirée, je leur viens en aide en appliquant des compresses d'eau. Mais c'est l'affection qu'on leur donne qui semble les soulager le plus.

Le 10 mars, tel que demandé par le fonctionnaire du Ministère public, je me représente devant lui. Je n'ai pas dormi de la nuit, non pas en raison des insectes qui me grimpaient dessus et me mordillaient – on s'y habitue –, mais bien parce que j'espère que cette malheureuse histoire va enfin se terminer.

L'avocat à la tête blanche m'attend dans le hall d'entrée du Ministère public. De son cellulaire, il compose le numéro de téléphone de Matunga et me tend l'appareil. On répond! J'ai enfin quelqu'un de mon entourage au bout de la ligne! Le bonheur que je ressens lorsque j'entends la voix de mon copain est indicible. Je lui débite tout ce qui s'est passé depuis le début et l'exhorte à me sortir de là. Il tente de parlementer avec un fonctionnaire, qui est juge, mais cela ne fait aucun effet. Avant de raccrocher, il me dit qu'il va tout faire pour trouver l'argent nécessaire pour venir me rejoindre, même si cela ne sera pas aisé.

Le juge m'ordonne de revenir dans une semaine.

Enfin, je vois une lumière au bout du tunnel. Je ne suis plus seule et je me sens un peu vivante.

Le 11 mars, je suis heureuse d'entendre que mon chiffre, le 59, est appelé. Nous nous dirigeons vers le poste de police et je ne vois pas comment cela pourrait être une mauvaise nouvelle. Matunga ou l'avocat à la tête blanche ont sûrement réussi à démêler tous les fils de cette histoire abracadabrante et on va m'annoncer que je suis libre. Peut-être ont-ils réussi à mettre la main sur Pipo?

Mon optimisme décroît rapidement : on me fait entrer dans une salle pour prendre des photographies de moi. Je tiens dans mes mains un panneau sur lequel sont inscrites des informations en arabe.

La mort dans l'âme, je retourne en prison.

Le 14 mars, je me présente dans le bureau des assistantes sociales pour faire une autre demande officielle pour avoir le droit de téléphoner. À la suggestion de Claudia, je demande de contacter l'ambassade britannique, puisque le Canada ne semble pas en avoir une au Qatar. La réponse est toujours la même : c'est non !

Le 15 mars est un lundi. Cinq femmes se font fouetter. Certaines vomissent de stress, d'autres se plaignent de maux de ventre intenses. Je surprends certaines des policières qui sont sur place à se moquer de l'effroi des filles devant ce qui les attend. Leur sourire est ce que j'ai vu de plus cruel de ma vie.

J'apprends que les gardiennes de la prison sont des Soudanaises qui ne viennent au Qatar que pour travailler. Les policières sont des Qataries. Il y a une grande différence entre elles : les Soudanaises font preuve de plus de flexibilité et de compassion que les Qataries. Il est possible, pour une prisonnière, d'avoir une discussion et ainsi faire valoir son point de vue avec une gardienne, alors qu'avec une policière, c'est impossible, car elles nous méprisent. Pour éviter de se faire humilier, il vaut mieux se taire et tenter de se fondre dans le décor.

Le 15 mars, Claudia, ma camarade de cellule américaine, réussit à joindre son mari à New York. Elle lui demande d'utiliser son cellulaire pour appeler mon copain. Ça ne répond pas. Il tente aussi de joindre le gouvernement du Canada, mais ça ne fonctionne pas.

Le 16 mars, le capitaine Rachid, l'assistant du directeur de la prison, me demande à son bureau. Lorsque j'entre, je constate que le combiné du téléphone est posé sur son bureau. Sans autre préambule, il me pose une question : « Tu as un mari ? » J'hésite une fraction de seconde, puis je m'exclame : « Oui ! » C'est Matunga. S'il avait dit au capitaine Rachid que je n'étais que sa copine, jamais il ne nous aurait laissé discuter.

Mon copain est à Dubaï. Pour payer le billet d'avion, il a dû vendre certains de nos biens. L'avocat que j'ai rencontré au Ministère public l'a contacté et lui a donné les informations relatives à ma détention. Au bout de quelques instants, des larmes coulent sur mes joues. Plutôt agacé par ma présence au début, le capitaine Rachid me regarde maintenant avec gêne.

Je dis à Matunga que je dois retourner en cour le lendemain. Il me promet d'y être afin de tenter de me sortir de là.

Le 17 mars, je passe la journée à prier, à genoux dans ma cellule. J'implore Dieu de mettre fin à ce supplice. Je sais que j'ai commis une erreur, mais je considère la peine excessivement sévère. Les images du dos martyrisé de mes camarades reviennent sans cesse me hanter. Que va-t-on me faire subir? Va-t-on me fusiller? Me pendre jusqu'à ce que mort s'ensuive? En plus d'avoir été surprise à commettre un crime, je suis une femme, donc un être humain de seconde zone aux yeux des autorités. Lorsque je me rends compte que je suis en train de me noyer dans ces pensées noires, je me contrains à considérer le positif: Matunga sera là demain, à la cour. Et l'avocat qui l'a contacté semble pouvoir faire bouger les choses.

Je ne dors pas de la nuit. Il fait trop chaud, le sol est trop dur et il y a trop d'insectes qui m'assaillent. Je suis inquiète et, en même temps, l'idée de revoir Matunga me rend heureuse. Ces sentiments partagés s'affrontent toute la nuit.

Enfin, on m'amène à la cour. Deux policières m'accompagnent. Dans le corridor, mon cœur s'arrête de battre quelques instants lorsque je vois Matunga. Lui, cependant, ne me reconnaît pas en raison du voile qui me couvre le visage et du hijab qui recouvre mon corps. J'ai, à cet instant, une sensation étrange: j'ai l'impression de me regarder de l'extérieur, comme si la fille en hijab noir qui venait d'entrer, flanquée de deux policières, n'était pas moi. Et Matunga, l'homme que j'aime, ne me reconnaît même pas alors que je suis à moins de cinq mètres de lui. C'est un cauchemar, c'est comme si j'étais invisible.

C'en est trop. Je me précipite vers mon copain et me réfugie dans ses bras. Les policières, surprises de mon geste, réagissent quelques secondes plus tard. Elles crient «*No, no, no!*», comme si je venais de poser un geste d'une grande impolitesse. L'une d'elles pose ses mains sur mes épaules et m'arrache violemment à Matunga. L'autre se place entre lui et moi de peur que je ne commette un autre acte indécent.

Matunga se présente, avec moi, devant un juge. C'est le cas de le dire, nous jouons au téléphone arabe : je dis à Matunga quelque chose qu'il répète au traducteur qui, lui, l'exprime en arabe pour que le juge puisse comprendre. Le fonctionnaire de la justice qatarie, après avoir jeté un regard furtif sur ses feuilles, décrète que je dois revenir dans deux semaines. Je proteste, mais c'est sa décision et je ne peux que m'y plier.

En sortant du bureau du juge, une des policières s'approche de moi et me chuchote à l'oreille de demander à Matunga de se rendre au poste de police si je désire le voir un peu plus longtemps. Fort étonnée par cet excès de gentillesse de la part d'une Qatarie, je m'empresse de transmettre le message à mon copain qui s'y rendra. Nous passerons de courtes mais intenses minutes ensemble, seuls.

La présence de Matunga dans le bureau du juge a changé la dynamique, je l'ai constaté. Le fonctionnaire était plus attentif à mes demandes et c'est la première fois que je voyais l'un d'eux lire véritablement les documents relatifs à mon cas. Le résultat a cependant été le même : on m'a demandé de revenir plus tard. En sortant de la cour, je me suis dit, pour m'encourager, que c'était un pas dans la bonne direction.

Je ne peux pas affirmer que la bureaucratie qatarie est la pire de toutes, mais elle fait preuve d'une lenteur et d'une paresse incomparables. D'un point de vue objectif, combien cette nonchalance coûte-t-elle à l'État ? Combien coûtent tous ces va-et-vient en autobus, tous ces employés qui ne font qu'obéir aux ordres comme des robots sans jamais rien remettre en question ?

Ce sont des champions de la procrastination, et passer à travers toutes les étapes judiciaires lorsque l'on est accusé d'un quelconque délit est une punition en soi. À la longue, ces attentes non comblées me rendent folle. Toujours se faire dire de revenir plus tard ne fait que nourrir mes angoisses. C'est une torture psychologique qui, malheureusement, ne s'ajoute pas au temps passé derrière les barreaux. De toute façon, les Qataris responsables de la prison se fichent éperdument des troubles mentaux de leurs détenues.

Certes, lorsque l'on est Qatari, le système de justice est probablement plus rapide, mais aussi plus facile à corrompre. Une Qatarie a un jour fait son apparition dans le groupe du bloc huit. Je ne me rappelle plus son nom, mais on racontait qu'elle avait tué sa bonne pour une raison obscure. Elle est restée deux semaines derrière les barreaux. Sa famille, issue de la haute société qatarie, était parvenue à verser un substantiel montant d'argent afin que le juge fasse preuve de clémence. Elle a recouvré sa liberté comme s'il ne s'était jamais rien passé et on n'a plus jamais entendu parler d'elle.

L'argent change tout. Il m'arrive de m'imaginer riche pour pouvoir m'échapper de ce guêpier. Cela serait si facile. Mais ce n'est pas le cas : en me rendant au Qatar, j'ai voulu améliorer mon sort ; c'est exactement le contraire qui s'est produit.

Dans la prison, il y a beaucoup de mouvements. Les prisonnières qui se font fouetter sortent, tandis que d'autres entrent. Chaque fois qu'une nouvelle est admise dans le centre de détention, on a toutes la même réaction : on se méfie d'elle. Puis, les jours passent et, comme si c'était un processus naturel, elle se joint à notre groupe.

Je me suis liée d'amitié avec Myriam, une femme qui avait tué son enfant naissant. Elle s'en était débarrassée dans les poubelles parce qu'il était issu d'une relation extraconjugale. C'est une voisine qui l'avait surprise et dénoncée. Elle n'éprouvait aucun sentiment de culpabilité et trouvait surtout dommage de s'être fait prendre. Elle avait toujours le droit de voir son copain qui était, lui aussi, emprisonné. Pourquoi ? Parce qu'elle est Arabe.

Parmi les prisonnières logeant à l'étage du bas du bloc huit, donc les Arabes, il y a beaucoup de fanatiques des préceptes du Coran. Mais quand vient le temps de les appliquer, leur morale devient élastique. Leurs commentaires sur les autres femmes qui ont commis des crimes sont impitoyables. C'est comme si elles ne se rendaient pas compte qu'elles sont dans le même bain, comme si les gestes répréhensibles qu'elles ont posés ne les regardaient pas. Ces ferventes d'Allah, lorsque questionnées sur le pourquoi de leur crime, réussissent toujours à justifier leur geste par des explications farfelues. Il y a beaucoup d'hypocrisie dans leur manière de pratiquer leur religion.

Laïla, la Qatarie dont j'avais fait la connaissance dans l'autobus la première fois que l'on m'avait amenée en prison, m'apprend les rudiments de l'arabe, une langue que je trouve belle et agréable à parler. Lorsqu'il y a des discussions dans la cour et qu'elle n'y participe pas, elle me fait une traduction simultanée. C'est ainsi que j'apprends que l'une de nos compagnes, une Philippine, travaillait pour une famille aisée de Qataris jusqu'à ce qu'elle ait été écrouée parce qu'elle avait pris une photographie d'un enfant dont elle prenait soin. Il était nu, dans son bain, et cela avait fait paniquer la mère qui s'est rendue au poste de police pour exhiber les photographies. Elle travaillait pour la famille depuis plus de dix ans et on ne lui a laissé aucune chance. Elle ne croyait pas qu'une innocente photo allait mettre fin à son emploi aussi abruptement et la mener en prison. Tout ce qui a rapport à la sexualité, de près ou de loin, est tabou au Qatar. Dès qu'on ose, consciemment ou non, le briser, la sanction est automatique.

Comme toutes les femmes, celles du bloc huit, chaque mois, ont leurs menstruations. À ce moment, il faut avertir une des gardiennes qui nous amène discrètement dans un bureau fermé et nous remet sept serviettes sanitaires, pas une de plus.

Pendant tout le temps de ma détention, je n'ai jamais eu à faire cette demande parce que je n'avais plus de règles, probablement en raison du stress que les événements ont provoqué.

D'autres femmes aussi n'ont jamais fait cette demande, mais c'était parce qu'elles étaient enceintes. Ce n'était pas une raison suffisante pour ne pas se faire fouetter si son tour était venu, d'autant plus que l'enfant avait été engendré à la suite d'une relation sexuelle interdite.

Je change de cellule à quelques occasions, au gré des humeurs des responsables de la prison. Cela ne me dérange pas vraiment, jusqu'à ce que je me retrouve avec une Philippine accusée d'avoir tué son enfant de cinq ans. Personne n'arrive à connaître les raisons qui ont poussé cette femme à commettre ce crime parce qu'elle passe tout son temps à l'écart des autres à marmonner des trucs incompréhensibles. L'idée d'être enfermée avec elle m'énerve quelque peu. La première nuit, un bruit me réveille. Je me retourne et la vois assise sur son lit, se balançant d'avant en arrière en chuchotant des paroles indéchiffrables. Je lui fais un geste pour qu'elle se recouche, mais elle agit comme si elle ne me voyait pas. Le lendemain, je demande à être changée de cellule. On me dit que la situation va se rétablir, que la Philippine est seulement un peu nerveuse.

Visiblement, cette femme a un problème psychologique et a besoin d'aide. Mais les responsables de la prison ne voient dans ces comportements qu'un effet secondaire à sa détention.

La Philippine continue à parler seule. Lorsqu'ils referment les portes de nos cellules, ce flux continuel de paroles me rend agressive. Je dors toujours un œil ouvert de crainte qu'elle ne m'attaque. Elle passe la majorité des nuits accroupie sur son matelas, oscillant d'avant en arrière et marmonnant des paroles confuses. J'ai essayé de la faire taire, mais c'est peine perdue : elle est dans son monde.

Je me suis plainte auprès des gardiennes et cela a donné des résultats : la Philippine a été isolée.

Les jours défilent. Je passe mes temps libres à dormir, à écouter ce que les autres détenues racontent, et à prier. De nouvelles prisonnières sont introduites dans le bloc huit ; la majorité d'entre elles ont été surprises à entretenir une relation avec un *boyfriend*. Chaque fois que j'apprends quel est leur crime, l'angoisse du châtiment qu'on me réserve refait surface. Si elles se retrouvent en prison parce qu'elles ont batifolé avec des hommes sans être mariées, que va-t-on m'imposer comme sanction ? Cent coups de fouet ? Cinq cents ? La mort ? L'idée de souffrir à ce point me donne des maux de ventre. Je me tords de douleur.

Le 26 mars, alors que le bloc est plongé dans le silence de la nuit, des coups de feu retentissent à l'extérieur. Puis, c'est suivi de cris et d'autres détonations qui résonnent dans nos cellules pendant quelques instants. Nous ignorons toutes ce qui se passe. Les gardiennes interviennent en nous ordonnant de nous rendormir. Les cris se poursuivent. Et les coups de feu. Chaque fois qu'il y a une détonation, je sursaute. Même si elle parut longue, l'altercation n'aura duré qu'une minute. Le lendemain, une rumeur tenace circule : une femme de notre bloc aurait été atteinte d'un projectile provenant de la cour, projectile qui serait parvenu à traverser les murs de ciment. Nous pensions être en sécurité dans nos cellules ; ce n'est pas le cas. L'angoisse se lit sur plusieurs visages.

Le 1er avril, on m'amène à la Cour. Cette fois, je fais face à un juge libanais qui parle français. Il me demande ce que je veux, je lui réponds que je désire sortir de prison. Il observe mon dossier, hésite. Je lui raconte que je dois absolument prendre des médicaments en raison de l'absence de mes règles. C'est faux, mais au point où je suis rendue, je n'hésite pas à arranger la réalité pour qu'elle me convienne.

Il ne me croit pas : je ne dois pas être la première à lui dire n'importe quoi pour se sortir du pétrin. Il pousse un soupir et me fait sortir de son bureau. Il revient et m'annonce que je peux sortir, mais que je dois verser un cautionnement de mille riyals. J'ignore totalement à combien cette somme équivaut en dollars canadiens mais, trop heureuse de pouvoir recouvrer ma liberté, je lui dis que je pourrai les payer sans problème.

Je contacte Matunga à sa chambre d'hôtel. J'apprends que mille riyals valent environ trois cent trente dollars canadiens. Mon copain devra puiser dans sa réserve, mais il a l'argent. Je suis folle de joie.

On me transfère au poste de police où on me garde dans une cellule répugnante où l'air ne circule pas. Le banc de métal et les murs sont couverts d'une substance gluante dont je ne veux pas connaître la provenance. Et les insectes qui s'y agglutinent ne cessent de bourdonner.

Je parviens à trouver un bout de plancher dégoûtant, ce qui est moins pire que le reste qui est infect, et m'y assois. Je me dis que ce n'est que temporaire, qu'on va venir me chercher bientôt. Les minutes, puis les heures passent. C'est interminable. À seize heures, des policières entrent dans la cellule. Je me dis que, finalement, ça y est.

Je me trompe : elles me reconduisent en prison. Je ne comprends plus rien. Je leur signifie qu'il s'agit d'une erreur, que le juge m'a libérée, mais elles font honneur à la réputation des policières qataries : il n'y a pas moyen de discuter avec elles.

À dix-sept heures, je remets les pieds en prison. Dès que l'occasion se présente, je fais part de mes doléances à une gardienne. Elle va se renseigner auprès des autorités. Elle ne revient qu'une heure plus tard. Effectivement, je peux sortir, mais il y a un hic : les clés de l'endroit où sont entreposés mes effets personnels ne seront disponibles que le lundi de la semaine suivante, soit dans trois jours. Elle me laisse le choix de rester en prison jusqu'à lundi ou de sortir immédiatement et revenir plus tard pour reprendre possession de mes biens. Quelle question! Après avoir vidé ma cellule, je salue mes camarades du bloc huit et, dans une jeep, on me ramène au poste de police de Doha où Matunga m'attend.

Nouveau problème: une fois arrivée au poste, le capitaine ne veut pas me laisser partir. Il affirme que je dois passer la fin de semaine en cellule. Je n'en crois pas mes oreilles! L'idée de mettre le pied dans une des cellules du poste de police me donne la nausée. Cette nouvelle me ravage; je m'effondre sur une chaise et pleure. Matunga parle avec le capitaine et réussit à le convaincre de me rendre ma liberté. Mon copain paye la caution et on me libère.

ATTENDRE, TOUJOURS ATTENDRE

Je me retrouve dans les rues de Doha, enfin libre. Je décide de garder le hijab, question de ne pas attirer l'attention.

C'est comme si je marchais sur des nuages. Je n'arrive pas à croire que je m'apprête à me coucher dans un lit, dans une chambre, à l'abri de tous les regards, et que je ne me ferai pas réveiller par des chants coraniques.

Matunga et moi ne flânons pas dans les rues. Je veux aller à l'hôtel, prendre une douche et décompresser.

Mon copain a loué une chambre à l'hôtel Ramada. Dans la salle de bains, je me déshabille pour prendre ma douche lorsque je passe devant un miroir. C'est le choc. Je ne me reconnais pas. Cela faisait plus d'un mois que je ne m'étais pas regardée dans une glace : je n'ai plus que la peau sur les os. Le régime forcé auquel j'ai dû m'astreindre a fait disparaître toutes les courbes sur mon corps que je détestais tant lorsque j'étais boulimique. Je me fais peur, j'ai l'air d'un spectre. Le stress que j'ai vécu, ajouté au peu de nourriture que j'ai absorbée pendant ma détention, en plus des jours entiers où j'ai été malade en raison de l'eau ont fait des ravages. Le résultat est effrayant.

Le soir, Matunga m'invite au restaurant. J'hésite quelque peu, mais finalement j'accepte. Nous passons du bon temps. Je mange bien et commande une bière américaine, la meilleure que j'aie bue de ma vie. Nous retournons à l'hôtel, bras dessus, bras dessous.

Je croyais que j'aurais de la difficulté à dormir sur un matelas confortable après un mois de béton, mais il n'en est rien : je m'endors dès que je pose ma tête sur l'oreiller.

Le lendemain, le 2 avril, j'ai l'impression que Doha est au ralenti, tout comme moi. Je n'arrive pas à réaliser que je ne retournerai pas en prison, en tout cas, pas avant mon procès, dont je ne connais pas la date, mais qui aura lieu, j'espère, dans les plus brefs délais.

Des conditions à ma liberté provisoire m'ont été imposées : je dois aviser le poste de police de mes « résidences » et je ne peux pas quitter le pays. J'ai l'intention de tout respecter à la lettre. Je veux être la plus discrète possible afin de récupérer mon passeport rapidement et ainsi quitter le Qatar.

Les jours qui suivent, je les passe à regarder la télévision, étendue sur un lit. Il y a des chaînes arabes, mais aussi américains, qui ne me captivent pas vraiment, mais je n'en m'en plains pas puisque je suis en terrain connu. Cela me donne l'impression de me rapprocher de ma culture.

J'attends impatiemment un coup de téléphone du Ministère public qui établira la date de ma parution à la cour. Je crois que mon retour se fera rapidement : compte tenu du fait que je n'étais pas au courant qu'en encaissant les chèques de voyage je commettais un crime, un mois de prison, c'est suffisant.

Lorsqu'il faut sortir pour faire des courses, Matunga y va seul. Je préfère rester dans la chambre d'hôtel.

Matunga se rend au poste de police pour voir de quoi il en retourne avec mon cas. Il fait la connaissance de Tariq Awad, l'homme en charge des dossiers. Il dit à mon copain qu'il va tenter de voir où en sont rendues les choses.

Le 18 avril, mon copain doit repartir parce que son visa est échu. Cela me peine énormément, d'autant plus que le Ministère public ne m'a toujours pas donné de nouvelles et que je devrai maintenant passer mes journées seules. De plus, j'ai peur de sortir. Je n'ai pas d'identité et porter le hijab me donne l'impression de ne pas exister. Si on m'enlevait, qui pourrait me décrire à la police ? S'il m'arrivait un accident et que je perdais conscience, qui pourrait prévenir mes proches ? Je passe maintenant mes jours dans une autre prison, certes plus confortable que l'autre, mais aussi angoissante. Et la solitude me pèse.

Matunga passe les journées du 18 au 26 avril à l'aéroport parce qu'il n'a pas l'argent pour acheter son billet de retour au Québec. Tout ce qu'il avait, il me l'a donné. J'ai payé la chambre d'hôtel et, avant de partir, il a fait une grosse épicerie pour que je ne manque de rien. J'en ai à peu près pour trois semaines. Dans la chambre, il y a un petit réfrigérateur et on s'est procuré un réchaud à deux éléments. Je peux survivre sans sortir.

Pendant huit jours, mon copain a dormi sur les chaises de l'aéroport et s'est lavé dans les lavabos des toilettes publiques. Jusqu'à son départ, nous nous sommes parlé tous les jours. Il a été question qu'il fasse une tentative de renouvellement de visa, mais cette idée a été rejetée puisqu'il devait trouver de l'argent.

Avril prend fin. Toujours pas de signe du Ministère public. Je passe mes journées à lire la Bible, le seul livre que j'ai en ma possession, ainsi qu'à prier, à manger, à regarder la télévision et à dormir. Je contacte Tariq Awad sur une base régulière pour savoir s'il a du nouveau, mais je ne veux pas le rebuter, donc je limite mes appels à un par semaine. Il n'a toujours rien à me dire. Il veut aider, mais il ne parvient à aucun résultat. Il se déplace à la cour pour mettre la main sur mon dossier, mais ne le trouve pas. Au Qatar, tout est encore sur papier. Il n'y a pas de système informatique avec des bases de données qui permettent de retrouver, en un clic de souris, le dossier d'une personne. Tous les endroits publics qu'à mon corps défendant j'ai visités étaient envahis de paperasse, parfois jusqu'au plafond. Il suffit qu'une seule feuille s'égare pour que cela devienne un casse-tête incomplet. Et on ne porte attention à ce casse-tête qu'une fois la pièce manquante retrouvée.

Au téléphone, Tariq Awad ressent le désarroi dans ma voix. Il s'excuse, mais il ne peut faire mieux. Je le remercie.

Je dois changer d'hôtel puisque j'en ai trouvé un qui coûte moins cher, soit cent riyals par jour, ce qui équivaut à approximativement trente-deux dollars canadiens. Cela peut sembler un prix dérisoire en comparaison de celui des chambres d'hôtel au Québec, mais une économie de cinq ou six dollars par jour, au bout d'un mois, fait toute une différence, surtout quand on n'a aucun revenu.

Je réussis à conclure une entente avec l'hôtel Al Zahra au sujet de mes dettes et déménage au Hal Maha.

Au mois de mai, rien à signaler. Matunga m'envoie à l'occasion de l'argent que le propriétaire de l'hôtel, qui m'a prise sous son aile, va chercher et me donne. Ce n'est pas suffisant pour lui payer tout ce que je lui dois, mais il garde le sourire et me dit qu'il n'est pas pressé. Tariq Awad, du poste de police, n'a rien à me dire : il n'arrive pas à me retrouver dans les tonnes de documents qu'il a écumés.

Le 6 juin, j'enfile mon hijab, recouvre mon visage d'un voile et décide de me rendre au Ministère public. Cette vie, qui n'en est pas une, ne peut pas durer éternellement. Les comptes continuent à s'accumuler, je ne peux pas travailler, je ne peux pas sortir de peur d'être arrêtée de nouveau et on m'a dit qu'on allait m'appeler. Que se passe-t-il ? Suis-je disparue dans les méandres de la bureaucratie qatarie ?

J'entre au Ministère public et demande à parler à un fonctionnaire. J'attends tout l'avant-midi pour me faire dire de revenir le lendemain.

Le 7 juin, dès huit heures, je me présente de nouveau. Aucun des fonctionnaires qui passe devant moi ne me regarde dans les yeux. Ils semblent tous vouloir m'éviter et, lorsque j'arrive à établir un contact visuel avec eux, ils me font signe d'attendre. À la fin de la journée, on me demande de revenir dans une semaine. Même chose pour les 14 et 15 juin. Lorsque les fonctionnaires me voient arriver, ils n'ont plus besoin de me demander ce que je veux.

Le 23 juin, je dois changer d'hôtel. Je trouve que le propriétaire se fait trop insistant. Je crois qu'il a un œil sur moi et cela me dérange. Lorsqu'il a constaté que je n'étais pas intéressée, sa gentillesse du début s'est envolée et il a voulu être payé sur-le-champ. Je n'ai pas d'argent.

Prise au dépourvue, j'appelle Tariq Awad pour qu'il me vienne en aide. Je ne sais pas où aller. Il connaît quelqu'un au Criminal Investigation Departement, le pendant qatari de la CIA des États-Unis d'Amérique. Il s'appelle Mohammed. Je lui demande s'il connaît un endroit où je pourrais vivre en attendant mon procès. N'y a-t-il pas une congrégation de religieuses qui pourrait m'accueillir ? Des habitants ?

Il entre en contact avec un ami qui possède un hôtel. Le propriétaire de l'autre hôtel fait du chichi lorsqu'il apprend que je pars sans payer. Mohammed s'entretient avec lui et lui promet qu'il sera payé lorsque j'aurai l'argent.

Je déménage au Palace Hotel. Quelques jours plus tard, je reçois un appel de Jean-Jules Renaud, un fonctionnaire du gouvernement canadien. Il me demande d'aller le rejoindre à l'hôtel Sheraton où nous pourrons discuter de mon cas. Je lui dis que je n'ai pas d'argent pour me rendre. Pas de problème, il va payer le taxi.

L'homme est affable et il écoute mon histoire avec attention. Puis, il me demande si ma famille est au courant. Je lui réponds par la négative. J'affirme ne pas vouloir la mêler à cette histoire qui me regarde uniquement. Jean-Jules Renaud n'est pas d'accord avec moi. Il a une fille et, si elle était dans le pétrin comme je le suis, il aimerait qu'elle l'appelle, même si elle avait commis la plus grave des erreurs.

En me quittant, il ne me fait pas de promesse, mais me dit qu'il va faire tout son possible pour m'aider.

Je pense à ce qu'il m'a dit au sujet de sa fille et cela me fait réfléchir. Même si je ne veux pas être jugée par mes proches, il est inévitable qu'un jour ils apprendront la vérité. Mieux vaut que ce soit par ma bouche que par celle d'une tierce personne.

Le 24 juin, j'arrive à contacter ma mère par téléphone. La première question qu'elle me pose est : « Qu'as-tu fait encore ? » Ça commence mal. Je lui raconte mes démêlés avec la justice qatarie. Avant que je la contacte, elle m'avait cherchée partout à Sherbrooke sans me trouver. Elle croyait que j'étais morte. C'est un soulagement mutuel d'entendre nos voix. Avant de raccrocher, elle me dit qu'elle va donner des coups de fil aux gouvernements, question de voir s'ils peuvent intervenir.

Le 30 juin, j'utilise l'argent réservé aux vivres pour prendre un taxi et me rendre au Ministère public. Toujours la même rengaine : on m'ignore ou on m'évite.

Le 13 juillet, un fonctionnaire accepte de me rencontrer. On me dit que mon dossier ne se trouve pas au Ministère public, mais bien à la cour religieuse qui se base sur la Charia, un code de conduite dicté par le Coran. Je m'y rends. Après une recherche exhaustive, c'est unanime : mon dossier n'est pas là. Je retourne au Ministère public. Je rencontre un autre fonctionnaire qui continue à affirmer que c'est à la cour religieuse que je dois m'adresser. « J'en reviens ! » lui dis-je. Il ne sait que dire. Il me demande de revenir un autre jour.

De son côté, au Québec, ma mère poursuit ses appels afin de trouver quelqu'un du gouvernement qui pourrait m'aider. Les résultats sont décevants : personne ne peut m'épauler.

Le 16 juillet, je reçois un coup de fil de Jean-Jules Renaud. Il a donné mon numéro de téléphone à deux de ses connaissances. Je fais la rencontre de Birgit et Andrew Schmidt. Birgit est Allemande et travaille comme secrétaire pour le bureau d'immigration du Qatar. Andrew, un Ontarien d'origine, est employé par le gouvernement du Qatar comme ingénieur en agriculture. Il est également le chef de la communauté canadienne à Doha.

Aux alentours de quinze heures, ils viennent me chercher pour aller manger au City Center Mall, un énorme centre commercial où l'on retrouve, entre autres, une patinoire.

Ce sont des gens charmants qui savent me mettre à l'aise dès le début de notre conversation. Ils me changent les idées en me parlant de leur vie et en faisant des blagues. Cette rencontre est salutaire pour moi. Ces deux personnes sont la joie de vivre incarnée. Le temps d'une soirée, ils me permettent de m'éloigner de mes tracas. Ils me traitent comme si je les connaissais depuis belle lurette. En me quittant, ils me remettent une somme d'argent qui me permettra de rembourser une partie de mes dettes et de manger autre chose que du pain pita.

Une semaine plus tard, Birgit me rappelle. Elle me demande si je désire visiter le désert avec eux. Après quelques secondes d'hésitation, j'accepte. Je fais la rencontre de madame Hanson, une femme distinguée dont le mari est chef du consulat britannique au Qatar. Après avoir écouté mon histoire, elle soulève l'idée que je devrais médiatiser ce qui m'est arrivé. Elle est persuadée que quelqu'un, quelque part, pourra m'aider. L'idée ne m'enchante pas : je ne crois pas que mes péripéties au Qatar pourraient intéresser qui que ce soit. De plus, j'ai honte de ce qui m'est arrivé et je ne tiens pas à étaler ma vie privée sur la place publique. Elle rétorque que, parfois, dans la vie, il faut poser des gestes qui nous rebutent mais qui peuvent avoir des répercussions positives.

Il y a aussi un autre aspect plus personnel que je n'ose pas aborder avec madame Hanson. En effet, je crains de déranger, comme si j'avais peur de montrer aux gens que j'existais. Est-ce que, si j'attire l'attention, cela aura des effets négatifs sur le processus judiciaire en cours? Y a-t-il des chances que les fonctionnaires du Ministère public me prennent en grippe et décident de me mettre des bâtons dans les roues? – des troncs d'arbre, devrais dire-je! – Chaque fois que je sors pour me rendre au marché ou au Ministère public, j'ai peur d'être reconnue ou d'être arrêtée. Cela pourrait compromettre mon anonymat et m'attirer des ennuis. Ma situation est déjà assez pénible, inutile d'en ajouter. À la manière dont les hommes traitent les femmes au Qatar, je crains aussi d'être enlevée et assassinée sans que personne n'en fasse de cas. Cela ferait une histoire de disparition comme il en arrive tous les jours dans les pays du Moyen-Orient. Puis, lorsque je me rends compte que la paranoïa me gagne, je mets fin aux élucubrations de mon imagination et décide de foncer. Le 26 juillet, j'envoie une lettre à Maurice Cloutier, rédacteur en chef de *La Tribune* de Sherbrooke, qu'il publie le jour suivant. La voici dans son intégralité:

Doha, Qatar, le lundi 26 juillet 2004

Cher monsieur Mario Goupil,

Je m'appelle Sophie Dubé. J'ai eu dix-huit ans en novembre dernier. Je vous écris car j'ai besoin d'aide. Je ne sais pas si vous allez pouvoir m'aider, mais on ne sait jamais. Je suis tellement désespérée. Il y a cinq mois, j'ai fait confiance à un «ami». Il m'a demandé d'aller dans un autre pays pour encaisser des chèques de voyage en me disant que tout était légal et que je n'aurais aucun problème. Il ajoutait aussi qu'il y était déjà allé et qu'il me donnerait de l'argent quand je serais de retour au Canada.

Je suis donc partie le 25 février 2004 pour arriver à Dubaï deux jours plus tard, soit le 27 février 2004. Le lendemain, le 28 février 2004, j'ai pris un autre avion pour me rendre à l'endroit où je devais encaisser les chèques, c'est-à-dire la ville de Doha, au Qatar. Or, tout a mal tourné.

Sortie de l'aéroport, je me suis rendue dans une banque pour encaisser les chèques et je me suis fait dire qu'ils n'étaient pas bons. Ensuite, ils ont appelé la police et m'ont transportée dans une prison d'où je n'avais pas le droit de téléphoner et où la seule langue parlée était l'arabe. Moi qui ne parle que le français, j'étais terrorisée. Mon supposé «ami» qui m'accompagnait, m'attendant à l'extérieur, s'était enfui, me laissant ainsi seule dans ce pays d'hommes où les femmes ne valent rien. C'est par la suite que j'ai appris qu'il avait pris l'avion pour Dubaï et que la police l'avait arrêté là.

Le matin du 29 février 2004, j'étais donc transportée dans une prison pour femmes. C'était terrible. J'ai cru mourir. Vous savez, ce n'est pas comme les prisons du Canada (je sais comment c'est au Canada, car j'ai visité celle de Sherbrooke lorsque j'étais au primaire). Cet endroit était sale. Il n'y avait pas de lit, nous devions dormir sur le sol. J'ai toujours été bien nourrie, mais là, la nourriture était dégoûtante.

Je croyais que j'allais mourir dans cet endroit. Je priais Dieu tous les jours pour qu'il m'aide.

Chaque lundi, quatre ou cinq femmes étaient fouettées. J'avais peur qu'un jour ce soit mon tour. Je ne peux décrire les sentiments que j'ai pu y avoir ; je pleure rien que d'y penser. Vous savez, je n'ai que dix-huit ans. Malgré quelques périodes plus difficiles, ma famille m'a toujours apporté tout ce dont j'avais besoin. Maintenant, je dois me battre pour survivre…

J'ai demandé, chaque jour, la permission de téléphoner à ma famille, à mon fiancé ou à l'ambassade canadienne ou britannique, mais on me l'a toujours refusée. Pendant toute la période où j'étais emprisonnée, je n'ai jamais reçu la visite d'un représentant de l'ambassade britannique – il n'y a pas de consulat canadien à Doha. J'étais livrée à moi-même. Malgré la mauvaise nourriture, l'insalubrité de ma cellule et l'odeur ambiante que je ne saurais décrire, je gardais le courage. J'avais confiance en Dieu et je croyais qu'il était le seul à pouvoir me sortir de cet enfer.

Le douzième jour, mon fiancé a pu me joindre pour m'annoncer qu'il était à Doha et qu'il allait me sortir de là. Le 1er avril, après trente-deux jours incarcérée et de nombreux kilos en moins, j'ai enfin pu sortir de prison. Mais mon cauchemar était loin d'être terminé. En effet, ma libération était conditionnelle à ce que je demeure à Doha.

Après un mois, mon fiancé est tombé malade et nous n'avions plus d'argent, car le petit montant que nous avions pu *économiser a servi à régler la note de la chambre d'hôtel. Bref, il est rentré au Canada. Il y a maintenant trois mois qu'il est parti. Il m'envoie de l'argent lorsqu'il en a. Il fait son possible, mais les temps sont durs.*

Il m'arrive parfois de ne pas manger pendant toute une semaine. Je suis toujours malade, je perds mes cheveux, je n'ai plus de menstruations depuis trois mois et je perds connaissance quand je suis trop longtemps debout.

Je téléphone souvent à l'ambassade canadienne au Koweït afin de leur demander de l'aide, mais ils ne font rien et, quand ma mère appelle à Ottawa, elle se fait répondre que j'aurais dit que je désirais demeurer à Doha et que ce n'est pas leur responsabilité d'assumer les frais de la chambre d'hôtel et les autres frais de subsistance. Pourtant, je les aurais remboursés une fois revenue au Canada. Enfin, moi qui suis née dans un beau grand pays libre, je me suis rendu compte que je devais me tourner seulement vers Dieu et, avec la prière, l'implorer pour que tout se termine le plus rapidement possible.

Je croyais que mon pays pouvait m'aider, mais ils ne veulent rien faire.

Je vous écris en espérant que vous pourrez peut-être m'aider à revenir au Canada, à faire bouger les choses. Je suis tellement fatiguée de souffrir. Je n'ai ni nourriture ni avocat, je n'ai que Dieu avec moi. Tout ce que je veux, c'est retourner au Canada, aux côtés de mes proches. J'ai seulement dix-huit ans et ma vie est détruite, car j'ai fait confiance à un supposé «ami». Je veux rentrer au Canada, recommencer à zéro, avoir ma vie d'avant, terminer mon secondaire V, me trouver un travail et rebâtir ma vie.

J'espère que vous allez pouvoir m'aider à sortir de cet enfer. Je vous laisse mon numéro de téléphone xxxxxxxxxxx chambre 105 et je vous laisse aussi le numéro de téléphone de mes parents, car je ne sais pas combien de temps je vais pouvoir rester ici avant qu'ils ne me mettent dehors comme à l'hôtel précédent: (xxx) xxx-xxxx (Suzanne Langlais).

Je vous remercie d'avoir lu ma lettre. Si vous voulez m'aider, sachez que j'en ai vraiment besoin. Je veux retourner au Canada. Je suis fatiguée de souffrir et, en plus, l'école recommence bientôt. J'ai déjà raté mes sessions d'hiver et d'été, je ne veux pas être trop en retard dans mes études.

Je vous en prie. Aidez-moi. Aidez-moi à retourner auprès des miens… J'ai seulement dix-huit ans et j'en ai assez de pleurer chaque nuit parce que mon supposé «ami» et tous les autres m'ont laissé tomber. Aidez-moi!!! J'ai besoin d'aide. Je veux que ce cauchemar se termine!

Merci et au revoir.

Sophie Dubé.

P.-.S: Je suis désolée pour les fautes de vocabulaire et de grammaire. Je n'ai vraiment pas de dictionnaire.

Lorsque je me relis, je constate à quel point j'étais découragée. Non, en fait, comme je le dis, j'étais désespérée. J'ai versé des milliers de larmes lorsque j'ai écrit cette lettre. Cela m'a permis de faire une récapitulation de ce que j'avais vécu. Cela m'a effrayée au plus haut point, au point où je n'ai pas dormi la nuit suivante.

Le lendemain, le téléphone se met à sonner. Mon appel à l'aide a été entendu et des journalistes m'interrogent sur les tenants et aboutissants de mon histoire. La compassion que les gens ont pour moi me rassure mais, lorsque je raccroche, je redeviens plus terre à terre: j'ai besoin d'argent.

Au Québec, ma mère réussit à joindre le député du Bloc québécois de ma circonscription, Serge Cardin. Il m'envoie de bons mots et de l'argent. Aussi, il s'engage à exercer des pressions auprès des instances gouvernementales afin de faire bouger les choses.

À Sherbrooke, des enfants font du porte-à-porte pour amasser des fonds qui me viendront en aide. Dans le dépanneur que ma mère possédait, de petites boîtes recueillent les dons des clients. Ma famille n'est pas en reste: mes oncles et tantes, frères et sœurs de ma mère, lui donnent des centaines de dollars.

Cet argent, je l'utilise, en premier lieu, pour me nourrir adéquatement. Je dois commencer par prendre soin de moi en m'alimentant sainement. Cela ne m'avancera à rien si je tombe malade en raison de malnutrition.

Puis, le reste de l'argent sert à éponger mes dettes. Savoir que je dois de l'argent m'indispose. Mais lorsque je mets le tout en perspective, je me dis qu'il ne s'agit pas d'une négligence de ma part, mais bien d'une situation exceptionnelle qui m'échappe.

C'est monsieur Schmidt qui encaisse l'argent qu'on m'envoie et qui me le donne. Sachant qu'au Québec des gens ont répondu à mon appel à l'aide, je m'endors moins anxieuse le soir. Savoir que le lendemain je pourrai manger à ma guise m'aide à dormir sur mes deux oreilles.

Le 30 juillet, par l'entremise de monsieur Schmidt, je fais la rencontre des Québécois Jocelyne Charest et Yves Héroux. Jocelyne travaille comme dentiste pour une compagnie de pétrole et Yves, pour une compagnie en environnement. Ils m'invitent au restaurant. Ils sont gentils et me font passer un bon moment. Cela me fait du bien de passer du temps avec des Québécois. Leur accent me rassure !

Le 11 août, je me rends une autre fois au Ministère public. Cette fois, on m'annonce que le département sera fermé pendant deux mois en raison des vacances. Je n'en reviens pas : la perspective de rester dans ma chambre d'hôtel pendant tout ce temps me décourage. Je ne prends même pas la peine de m'obstiner avec le fonctionnaire qui vient de me transmettre cette information. Je rentre bredouille à l'hôtel.

Le 18 août, je décide de consulter un médecin en raison de douleurs au bas-ventre. Je crains en outre que l'absence de mes règles ne soit pas due à l'intensité des événements que j'ai vécus, mais bien qu'elle soit le signe d'une grossesse. Il n'en est rien. Le médecin conclut que tous mes symptômes sont dus, probablement, au stress.

Quand je ne suis pas dans ma chambre d'hôtel, je sors avec Birgit et Andrew au restaurant ou au City Center Mall. Je vais aussi me baigner au Doha Club, un endroit où l'on peut, notamment, exercer des sports comme le tennis et le squash. Parfois, je vais au cinéma. Lorsqu'ils m'invitent, j'accompagne aussi Jocelyne et Yves dans leurs sorties. Ces moments où je ne suis pas dans ma chambre d'hôtel sont pour moi des havres de paix momentanés qui me permettent de ne pas devenir folle.

Le 16 septembre, avec monsieur Schmidt, nous allons rencontrer un avocat. Il se nomme Mana Nasser Saleh et il accepte de s'occuper de mon cas si j'ai l'argent pour le payer. Pour une énième fois, je lui raconte mon histoire. Il fait des photocopies des documents que je possède et me dit qu'il va me rappeler pour me dire combien coûtera ma défense. Il me contacte le 30 septembre. Son prix : vingt-quatre mille riyals, soit huit mille dollars canadiens. La panique s'installe : où vais-je trouver cet argent ? Est-il vraiment nécessaire qu'on m'assigne un avocat ? Ne puis-je pas me défendre seule ? On m'explique que je dois absolument être représentée par un avocat parce que, notamment, les coutumes du Qatar ne tolèrent pas qu'une femme se défende seule. Cela ne s'est jamais vu et beaucoup d'eau devra couler sous les ponts avant qu'un événement de la sorte ne se produise. Aussi, il est très mal vu auprès du magistrat qatari de ne pas avoir d'avocat, que ce soit pour un homme ou pour une femme. On me dit qu'il y a des avocats qui coûtent moins cher, mais ils ne sauront pas me représenter adéquatement puisque mon cas est compliqué. Et le système de justice au Qatar n'est pas aussi limpide que celui du Québec. Il arrive que les juges se basent sur autre chose que la jurisprudence pour décider d'une sentence. Sans affirmer que le système de justice est corrompu, beaucoup de facteurs que tout Québécois trouverait révoltants peuvent faire pencher la balance de la Justice. On me persuade que, pour mon bien, il vaut mieux avoir un avocat réputé.

Comme un cadeau du ciel, Michel Brûlé, éditeur des Intouchables, me contacte et m'offre de payer mes dettes d'hôtel ainsi que mon avocat. En raccrochant, j'ai l'impression qu'on a enlevé une tonne de plomb de mes épaules. Cette faveur soudaine que l'on me fait, après avoir vécu dans la pauvreté ultime, c'est-à-dire sans argent, mais également sans connaissance qui pouvait véritablement m'aider, je ne la réalise pas immédiatement. C'est trop subit. Mais en y repensant, j'assemble les morceaux et me dis que je suis la fille la plus chanceuse du monde. Loin du Québec comme je le suis, étant une femme sans identité, criminelle en plus, dans un pays machiste, mon histoire aurait pu tourner beaucoup plus mal. J'ai lancé un S.O.S. et on m'a répondu. J'ai prié Dieu et il m'a donné la force de poursuivre. Pour ajouter du sérieux à mes méditations, je décide de jeûner quelques jours. Cela m'aide à me concentrer sur l'essentiel.

Mi-septembre, on me fait une visite surprise : alors que je regarde la télévision, on cogne à ma porte. Je n'attends pas de visite, j'espère qu'il ne s'agit pas d'autres mauvaises nouvelles que l'on vient m'annoncer. En ouvrant la porte, je suis surprise de voir Laïla, la première prisonnière que j'avais rencontrée dans le camion qui nous menait à la prison, celle qui, heureusement, parlait français. Je gardais un bon souvenir d'elle parce qu'elle m'avait gentiment initiée à l'arabe.

Je l'invite à entrer. Elle me dit qu'elle est heureuse de m'avoir retrouvée. C'est alors qu'elle m'apprend que la première fois que nous nous étions vues, elle m'avait menti : elle n'a pas été mise en état d'arrestation en raison d'une relation qu'elle avait avec un autre homme ; elle a été arrêtée parce qu'elle avait encaissé de faux chèques de voyage.

Elle a toute mon attention. Elle prétend ne pas me l'avoir dit la première fois parce qu'elle ne savait pas si elle pouvait me faire confiance. Elle a été détenue au Koweït pendant quelque temps, puis a été déportée au Qatar. C'est ce jour-là que je l'ai rencontrée.

Elle me raconte qu'elle connaissait très bien Pipo. Elle le considérait comme son ami. À Dubaï, ils se fréquentaient sur une base régulière.

Elle n'est pas restée longtemps en prison parce que son père, un homme d'affaires qatari, a réussi à la sortir de là moyennant le versement d'une somme d'argent aux bonnes personnes. Elle parle d'un montant de l'ordre de quatre-vingt-dix mille riyals. Mentalement, je fais le calcul : il s'agit d'environ trente mille dollars canadiens ! Si j'ai l'argent, elle peut m'aider à me sauver du pays.

Un passeport du Qatar serait créé, me permettant de sortir du pays, tandis qu'on récupérerait le passeport canadien. Une fois à Dubaï, on jetterait le passeport qatari et on réutiliserait le canadien dans un pays où on n'a pas commis de crime. « Rien de plus simple », me dit-elle.

On m'enfilerait un hijab et on voilerait mon visage. Une voiture anonyme viendrait me chercher à la prison et on m'amènerait à l'aéroport. Et le tour serait joué ! Normalement, les étrangers ne peuvent se prévaloir de ce tour de passe-passe, mais elle se dit persuadée de pouvoir convaincre son père d'user de son influence. Après, ce serait comme s'il ne s'était rien passé. Tous les papiers reliés de près ou de loin à mon arrestation disparaîtraient.

Trente mille dollars… Un peu moins que le salaire moyen annuel d'un Québécois! C'est beaucoup d'argent et je ne dispose pas de cette somme. Aussi, je me pose des questions d'ordre moral: est-il juste que j'échappe à la justice en raison d'une situation financière favorable? La réponse est non. Je crois que, même si j'avais eu l'argent, j'aurais refusé.

Finalement, ça y est: après un peu moins de six mois d'attente, des milliers de dollars en chambres d'hôtel et beaucoup d'espoirs déçus, mon avocat reçoit une assignation pour se présenter à la cour afin de me défendre. La date: 14 octobre.

Les jours qui me séparent de cette date fatidique passent lentement. Je me force à sortir pour faire passer les journées plus rapidement. Les contacts avec mon avocat sont encourageants: il me dit qu'il a assez d'informations et d'arguments pour pouvoir me défendre adéquatement.

Je pense pouvoir recouvrer ma liberté le jour même ou, dans le pire des cas – car la justice qatarie est nonchalante –, le lendemain. Cela ne me dérange pas; si j'ai été capable de passer un mois en prison et six mois enfermée dans une chambre d'hôtel, je peux attendre vingt-quatre heures de plus. De retour au Québec, je planifie reprendre mes études, faire les cours qu'il me manque et décrocher mon diplôme d'études secondaires. Par la suite, je me dénicherai un emploi. J'ai eu ma leçon: vaut mieux suivre la parade qu'essayer de la devancer.

Le 14 octobre arrive. Je n'ai pas besoin de me présenter en cour, il n'y a que mon avocat qui doit y aller. Je me réveille très tôt ce matin-là et, dès huit heures, j'attends que le téléphone sonne. Et il sonne! Mana Nasser Saleh m'apprend que ma cause a été remise au 28 octobre. Encore deux semaines à attendre!

Quatorze jours pénibles. Pour m'endormir, j'imagine l'avocat m'annoncer ma liberté. Le 29 octobre, cela fera exactement neuf mois que je suis à Doha. Ce serait un beau cadeau à me faire, non? Je demande à mon avocat de dire au juge que j'ai eu ma leçon, que je ne recommencerai pas et que, s'ils le veulent, je m'engage à ne plus remettre les pieds de ma vie au Qatar.

Pendant les trois jours précédant le 28 octobre, je souffre d'insomnie. Je dors, mais peu, et je fais des rêves étranges qui me laissent troublée lorsque j'en émerge. J'ai si hâte de quitter ce pays qu'en repensant à la prison ou au Ministère public, je deviens anxieuse.

Le 28 octobre, enfin. Je suis fatiguée, j'ai la nausée depuis une semaine et je ne mange presque plus. Il faut absolument que ça se règle.

Je me précipite sur le téléphone qui sonne. Mon avocat, qui a toujours la même voix posée, qu'il s'agisse d'une bonne ou mauvaise nouvelle, me signifie qu'il n'a pas pu plaider, le fonctionnaire responsable de mon cas n'étant pas présent. Une autre date a été fixée : le 25 novembre.

Birgit et Andrew ainsi que Jocelyne et Yves continuent à m'appuyer. Je suis chanceuse de les avoir à mes côtés.

Serge Cardin, le député du Bloc québécois, m'avait fait parvenir un manuel et un cahier d'exercices afin que je puisse passer mes mathématiques de secondaire V. Je les avais depuis quelque temps, mais je n'avais pas la tête à ça. Je décide de me consacrer aux études au lieu de stresser sur des événements à venir. Le 25 novembre, qui sait, peut-être vais-je apprendre que mon cas sera une fois de plus reporté ?

Le 22 novembre, je passe mes derniers examens. J'obtiens une note de quatre-vingt pour cent pour l'ensemble de la matière, ce qui est, à mon sens, une prouesse, compte tenu de mon aversion pour les mathématiques et des circonstances dans lesquelles j'ai étudié. Je suis assez fière de moi. Lorsque je retournerai au Québec, ce sera une chose de moins à faire.

Je sais que, le 25 novembre, on a demandé à mon avocat de se présenter devant le juge à dix heures. Ce jour-là, à dix heures pile, je m'installe devant le téléphone. Je suis aussi excitée que les trois fois auparavant, même si je sais qu'il se peut que le procès soit remis.

Le téléphone sonne, enfin. C'est mon avocat. Toujours avec sa voix aux intonations pondérées, il me dit qu'il a une bonne nouvelle à m'annoncer.

UN MOIS PLUS CINQ MOIS

La bonne nouvelle pour lui n'en est pas une pour moi. Vraiment pas. J'ai été condamnée à six mois de prison. J'en ai déjà purgé un, il m'en reste donc cinq. Avant de raccrocher, mon avocat me dit que les policiers peuvent venir me chercher n'importe quand.

Je suis en état de panique totale. J'appelle tous mes proches et je leur demande s'ils ne connaissent pas un moyen de m'en sortir sans remettre les pieds dans cette maudite prison. Je n'avais pas pensé plus d'une seconde que je pourrais purger encore du temps comme prisonnière parce que cette idée me faisait trop souffrir. Cette fois, je pense sérieusement ne pas être capable de m'en sortir.

Les gens avec qui je parle au téléphone se font rassurants, même s'ils ne savent pas à quel point l'épreuve que je m'apprête à affronter paraît insurmontable. Les matelas minces sur le béton, la cafétéria au plancher collant et aux tables dégueulasses, l'odeur permanente des ordures... Je n'y arriverai pas.

Cinq mois, c'est une éternité. Cent cinquante jours.

Lorsque je parle avec ma mère, elle remet les choses en perspective : elle m'apprend que j'aurais pu être condamnée à neuf ans de prison ! Si je n'avais pas eu un bon avocat, c'est probablement ce qui se serait produit. Neuf ans... Je l'ai échappé belle.

La mort dans l'âme, nauséeuse et profondément déprimée, je prépare mes bagages et j'attends toute la journée du 25 novembre. Le lendemain non plus, pas de signe des policiers. Le 27, j'appelle Jocelyne et Yves et leur fais part de mon bouleversement : le jour du jugement, Mana Nasser Saleh, mon avocat, m'avait dit que je devais m'attendre à être amenée d'une minute à l'autre. Je crains d'avoir été, une autre fois, égarée dans la bureaucratie qatarie.

Mes amis québécois m'accompagnent chez mon avocat. Il fait quelques appels puis m'apprend que, finalement, je dois me constituer prisonnière.

Je retourne à l'hôtel, ramasse tous mes effets personnels et me rends au poste de police. Les policières qui m'accueillent me trouvent étrange : elles n'ont jamais vu une personne déclarée coupable qui désire aller en prison le plus rapidement possible. Elles sont déstabilisées et se renseignent sur mon cas auprès du Ministère public. La paperasse relative à mon incarcération n'est pas prête. On me demande de revenir le 5 décembre, soit dans plus d'une semaine.

Le temps est mon ennemi. Je ne cesse de ressasser dans ma tête les mauvais souvenirs de la prison. Je dors peu, je ne mange presque pas et je reste cloîtrée dans ma chambre d'hôtel.

Le matin du 5 décembre, je me présente au poste de police. On me fait asseoir sur une chaise en bois. J'y reste jusqu'à ce que la nuit tombe. On ne m'explique rien et je n'ose pas poser de questions. Les regards des policières à mon endroit sont révélateurs : je suis une criminelle et je ne mérite pas leur respect. J'arrive à la prison aux alentours d'une heure du matin, le 6 décembre.

En mettant les pieds dans le bloc huit, je constate une nette différence : le plancher de la cafétéria n'est plus collant et la surface des tables est propre. Les gardiennes soudanaises sont surprises de me revoir. Pendant qu'elles font le tri de mes effets personnels, je leur raconte ce qui s'est passé. Elles me donnent l'impression d'être contentes de mon retour, comme si je faisais partie de leur famille. Elles me donnent un matelas plié et une couverture.

Au deuxième étage, là où les prisonnières étrangères sont enfermées, il y a un monticule de chaussures. Les cellules sont pleines à craquer et l'odeur qui circule ne laisse présager rien de bon sur l'hygiène de certaines de mes camarades. En prenant soin de ne piler sur personne, je me faufile dans une cellule, déplie mon matelas et me couche.

Revenir dans cet endroit lugubre me donne envie de hurler. J'ai en moi une boule d'anxiété qui me ronge, et l'odeur insupportable me donne envie de vomir. Je m'efforce de faire le vide dans mon esprit. Alors que je suis sur le point de m'endormir, un insecte d'origine inconnue mais d'une taille considérable grimpe sur moi et traverse mon visage. Je me relève prestement et frotte mon visage de manière frénétique. Ces bestioles – je crois qu'il s'agit de blattes – sont ignobles. Mon séjour commence bien mal !

Le lendemain matin, pour la première fois, je me réveille de mon propre chef et non pas au son des chants coraniques. Pourtant, il semble être plus tard que six heures du matin. Je me redresse, me frotte les yeux et regarde autour de moi. L'étage est rempli de femmes de diverses origines. Elles doivent être aux alentours de soixante, alors qu'habituellement la pièce peut en contenir un maximum de quarante. Il y a même deux enfants en bas âge, dont l'un appartient à Mona qui en était à son deuxième mois de grossesse lors de mon premier passage. Je reconnais aussi quelques autres femmes à qui je fais un signe de la main.

J'étouffe dans cet endroit. Il n'y a pas de place pour circuler et personne ne parle le français ni même l'anglais. Je demande à parler à la gardienne en chef, Mama Aïcha. Elle aussi est surprise de me voir. Elle remarque que je suis sur le bord des larmes et que mon teint est verdâtre. Elle veut savoir ce qu'elle peut faire pour m'aider. Je lui raconte que le deuxième étage du bloc huit est invivable parce que surpeuplé, que beaucoup de femmes se foutent de leur hygiène et que, si elle ne fait rien, je vais devenir cinglée. Elle fait preuve de compassion à mon égard et me dit qu'elle va voir ce qu'elle peut faire pour que je ne pète pas les plombs. Elle m'envoie voir le médecin qui recommande que l'on me transfère au sous-sol, avec les Qataries, là où je pourrai respirer. Même si les Arabes sont redoutées pour leur hypocrisie et leur mesquinerie, cela me soulage de savoir que je pourrai avoir un minimum d'espace vital.

J'y fais la rencontre d'une adolescente de seize ans, Suhana, une Indienne menue à la voix d'ange. Elle parle anglais, j'entreprends donc une conversation avec elle. Sa maîtrise de la langue est parfaite. Elle m'apprend que c'est parce qu'elle a fréquenté un collège anglais.

Je lui raconte pourquoi je suis là. Lorsque je lui demande la raison de sa présence ici, elle m'affirme qu'elle n'est pas prête à en parler immédiatement.

Dans la cour, Suhana est gentille et fait preuve d'un respect sans bornes, avec nous, ses codétenues. Je n'arrive pas à l'imaginer commettre un crime. Alors que je la vois interagir avec les autres, je laisse libre cours à mon imagination. Elle est trop jeune pour avoir eu des relations sexuelles; je mets donc cette hypothèse de côté. Peut-être a-t-elle blasphémé? Ou commis un vol? Oui, c'est plausible, je penche pour le vol.

J'arrive enfin à lui tirer les vers du nez. Et le crime qu'elle a commis me laisse pantoise: elle a assassiné sa mère. Elle me révèle qu'elle trouvait ne pas obtenir suffisamment d'attention de sa part et que c'est le moyen qu'elle a trouvé pour en avoir. Son cousin était décédé dans des circonstances tragiques quelques mois auparavant et elle s'était rendu compte que la mort pouvait être un bon moyen pour être sous les feux de la rampe. Elle voulait que ses proches la consolent de la mort de sa mère. Alors, une nuit, elle est entrée dans la chambre de sa génitrice, s'est placée par-dessus elle et l'a étranglée. Tout en me narrant son crime, elle m'exhibe ses mains frêles. Elle prétend que sa mère était sa meilleure amie et sa confidente; leur relation était parfaite. Il n'y avait aucune animosité. Pourquoi l'avoir tuée? lui demandé-je. «C'était plus fort que moi», me répond-elle.

Avec son père, cependant, c'était le contraire: elle le détestait. Elle avait d'ailleurs tenté de le tuer en modifiant la dose des médicaments qu'il devait prendre, mais sans résultat.

Elle m'explique cela avec un calme à glacer le sang. À la fin, alors que je ne sais que dire des révélations qu'elle vient de me faire, elle esquisse un sourire qui me donne des frissons d'horreur. J'étais amie avec elle et nous nous entendions comme larrons en foire. Et si elle ne «pouvait s'empêcher» de me tuer dans mon sommeil? Heureusement, je n'ai jamais dormi dans la même cellule qu'elle. Sa tranquillité était maintenant devenue suspecte.

Plus les jours avancent, plus je me rends compte que, pendant mon absence, beaucoup de choses ont changé. La nourriture est maintenant préparée et distribuée par les prisonnières. Du même coup, c'est meilleur et les portions sont plus généreuses. Aussi, il n'y a plus de séance de correction au fouet le lundi. On ajoute dorénavant trois mois à la sentence.

Je remarque que la différence entre les Qataries et le reste de la population carcérale devient de plus en plus marquée. Alors que la plupart des prisonnières veulent purger leur sentence sans créer de remous, les Qataries cherchent le trouble. Lorsqu'elles ne le trouvent pas, elles le provoquent. Quand elles prennent quelqu'un en grippe, elles s'acharnent jusqu'à ce qu'elles aient vraiment réussi à semer la zizanie. Il y en a une, notamment, qui est détestable au plus haut point et qui n'a de cesse de manigancer pour briser le fragile équilibre du bloc huit. Elle s'appelle Mona et semble être la leader des Arabes. Il y a toujours des sous-fifres autour d'elle, prêtes à rire de ses sarcasmes. D'ailleurs, elle me fait beaucoup penser aux policières. Elle jette sans cesse des regards remplis de mépris à toutes celles qui ne sont pas arabes. Quand on passe devant elle, il lui arrive de nous reluquer de la tête aux pieds et d'émettre un commentaire en arabe, commentaire désobligeant, il va sans dire. Et ses subordonnées de rire, comme pour lui démontrer leur allégeance.

Les Qataries arabes payent des Indonésiennes pour, notamment, nettoyer leurs toilettes, laver leurs vêtements sales et faire le ménage de leur cellule. Elles se font même préparer des mets particuliers. Elles ont beaucoup d'argent et ne se gênent pas pour le montrer. Elles versent des salaires ridicules à leurs bonnes, mais c'est assez pour se payer du prestige auprès de leurs camarades de cellule. Pour ma part, ça ne m'impressionne guère, au contraire.

Aux alentours du 13 décembre, Mona dirige ses attaques sur une pauvre femme d'une soixantaine d'années, usée par la vie qui paraît en avoir quatre-vingts. C'est une Sri Lankaise qui a travaillé de nombreuses années pour la même famille de Qataris. Le jour où cette dernière a voulu s'en débarrasser parce trop vieille, elle l'a faussement accusée de vol.

Mona raconte des mensonges à son sujet, affirmant qu'elle est une espionne, qu'elle rapporte tout ce que l'on fait aux autorités. Résultat: d'autres prisonnières s'en prennent à la vieille Sri Lankaise qui doit être isolée pour sa sécurité. Quelques personnes savaient que ce n'était que des inventions de la part de Mona et de sa bande, mais certaines de mes codétenues étaient impressionnables et se laissaient facilement influencer. Pour Mona, c'est un jeu d'enfant et elle semble réussir à tous les coups.

Le 20 décembre, une Colombienne du nom de Gloria fait son entrée dans la prison. Elle semble perdue et traumatisée. Comme une autre prisonnière l'avait fait avec moi auparavant, pour la rassurer, je l'initie aux us et coutumes du bloc huit. Elle est accusée du même délit que moi : vol. Son ami a dérobé des objets dans un souk et elle était complice. Je me lie d'amitié avec elle et nous passons des heures à arpenter la cour de long en large, à discuter de tout et de rien.

Après un moment de léthargie dû à mon retour carcéral, je me reprends en main. Je recommence à manger et je me dis qu'un peu d'exercice ne me fera pas de tort. Je fais des allers-retours à la course dans la cour, des redressements assis et des pompes. Je remarque que cela améliore mon humeur et m'aide à dormir.

Noël et le Nouvel An passent et cela ne fait aucune différence parce que ces fêtes ne sont pas célébrées par les musulmans. Et parce que je n'ai pas vu un seul sapin de Noël ni de monsieur joufflu à la barbe blanche et à l'habit rouge, pour moi, cela ne fait pas de différence. Je pense à Matunga et à ma famille, bien entendu, mais ma réalité est si loin de la leur que je n'ai pas le cœur aux réjouissances. Entre-temps, chaque semaine, je parle quelques minutes avec mon copain au téléphone. Ces instants sont de véritables sources de bonheur.

Le 5 janvier, j'ai un accrochage avec Mona, accrochage que je sentais venir. Un des premiers jours après mon incarcération, elle s'était approchée de moi et, avec une fausse gentillesse, m'avait demandé pourquoi j'étais en prison. Je connaissais sa réputation, je savais qu'elle allait faire une utilisation pernicieuse des informations que j'allais lui transmettre. Je lui avais donc répondu en anglais que ça ne la regardait pas. J'ai vu son visage se décomposer et elle avait tourné les talons. Depuis lors, elle me regarde toujours avec un œil mauvais et ne rate pas une occasion de rire de moi.

Le harcèlement a commencé dès que j'ai mis le pied dans la cour ce jour-là. Mona s'approche de moi : aucun doute, je suis sa cible. Elle se met à m'insulter en arabe. Je ne comprends rien de ce qu'elle me dit, une prisonnière traduit: elle hurle qu'elle a appris pourquoi je suis ici, que je suis une voleuse et que c'est probablement moi qui ai fait disparaître des objets qui lui appartiennent. C'est du délire, évidemment. Je sens monter en moi un bouillon de colère, je serre les poings, mais je ne frappe pas. Si j'attaque, plein de témoins pourront affirmer que j'ai été l'instigatrice de la bagarre et je me retrouverai au «trou», dans une minuscule cellule sans fenêtre, et on me privera pendant des semaines de sortie. C'est sans compter que, si je blesse sérieusement Mona, ce qui est probable parce que j'ai envie de la heurter avec mes poings de toutes mes forces, j'aurai droit à un autre procès et à une autre sentence. Ce n'est pas le temps de commettre une bêtise et, pour la première fois de ma vie, je suis en mesure de contenir ma colère.

Oui, je suis en prison pour vol, mais les crimes que Mona et ses acolytes qataris ont commis sont beaucoup plus ignobles que le mien. Elles jouaient les proxénètes auprès de jeunes filles prépubères et d'adolescentes, dont elles vendaient les services à des ministres et à des hommes d'affaires aux pulsions sexuelles perverses. Elles recevaient des «commandes» et les remplissaient en achetant aux familles pauvres les jeunes filles qui correspondaient aux exigences de ses clients. Un crime répugnant, qui va totalement à l'encontre des principes du Coran, j'en suis persuadée. Pourtant, Mona était une des plus fanatiques. C'était le signe le plus évident de son hypocrisie. Si elle avait commis un crime de moindre mesure, un vol par exemple, il y a longtemps qu'elle serait sortie de prison en donnant gracieusement de l'argent aux bonnes personnes.

Je lui dis en français de me foutre la paix et je m'éloigne. À l'heure du dîner, alors que j'attends patiemment en ligne pour recevoir mon repas, Mona passe à côté de moi et m'accroche l'épaule. Il n'y a rien d'accidentel, c'est prémédité et le but est de me faire sortir de mes gonds. Je la regarde droit dans les yeux, la mâchoire serrée, mais m'abstiens tout de même de la frapper. Pendant le repas, elle ne cesse, avec ses amies, de se foutre de moi. Je dois réagir, sinon il va y avoir un accident.

Après avoir cassé la croûte, je me rends dans le bureau du capitaine Rachid pour me plaindre, même si je pense que cela ne servira à rien puisque Mona semble avoir des privilèges que d'autres ne possèdent pas.

Je vide mon sac au responsable de la prison qui m'écoute sans mot dire. En sortant de son bureau, je suis certaine que cela n'a rien donné. Au moins, j'en ai parlé.

Je suis donc fort étonnée de voir que des gardiennes vont chercher Mona dans la cour pour l'isoler dans le trou pendant une semaine. Ce châtiment lui rabat le caquet et elle comprend que la récréation est terminée. Plus jamais, par la suite, elle n'aura de comportement répréhensible. Je fais même la paix avec elle.

Le 12 janvier, alors que je marche dans la cour avec Gloria et quelques autres détenues, je vois l'une d'elles, Tarmi, accélérer le pas, ce qui est assez étonnant parce qu'elle est enceinte de neuf mois et peine habituellement à marcher. On s'enquiert de son état, elle grimace de douleurs. Une des femmes déclare que le travail a commencé.

Les gardiennes sont averties, mais elles ne croient pas que le moment de l'accouchement soit arrivé. Plus les minutes s'écoulent et plus les douleurs de Tarmi s'intensifient. Le capitaine arrive sur les lieux. L'entendant crier et voyant son visage couvert de sueurs, il pose ses deux mains sur sa tête et affirme qu'il y a un « problème ». Voilà comment un homme qatari considère une femme qui est sur le point d'accoucher : un « problème » !

On appelle le médecin, mais on n'arrive pas à le joindre. Tarmi écarte les jambes, le bébé est prêt à sortir. Les femmes qui ont déjà vécu un accouchement prennent la relève et agissent comme sages-femmes. Les gardiennes nous enferment dans nos cellules pour éviter tout accident. Je ne vois pas l'accouchement, mais j'entends tout. C'est un beau moment. Le bébé est en forme, la mère, malgré la situation, s'en est très bien sortie. C'est le troisième bébé du bloc huit.

Le médecin pointe son nez, finalement, deux heures après la naissance. Tout est terminé. Il procède aux examens de routine de la mère et de son enfant. Ils sont transférés dans un hôpital et reviendront quatre jours plus tard.

Même si la salubrité des lieux s'est améliorée, ce n'est pas encore acceptable. Les cellules, notamment, sont sales, et la cafétéria n'est pas entretenue, ce qui fait que de jour en jour son état se dégrade. Je rencontre le capitaine Rachid avec le consul britannique et Birgit et lui fais part de mes griefs. C'est à partir de ce moment que ma présence à la prison n'est peut-être pas étrangère aux améliorations observées. Le capitaine m'écoute avec attention et prend même des notes. En sortant, il m'assure qu'il fera tout en son pouvoir pour régler le problème. Dans la lettre que j'ai envoyée aux médias, je me suis plainte, notamment, du traitement des femmes dans la prison, des châtiments corporels au fouet et des droits – fondamentaux pour une Québécoise – qui sont brimés tous les jours. Je n'aurai jamais une réponse claire et précise, mais je pense qu'il y a eu des pressions politiques qui ont forcé l'administration de la prison à agir. Si c'est le cas, au moins ma présence au Qatar aura servi à quelque chose. J'espère que les choses n'ont pas changé après mon départ.

Le 17 janvier, je me rends au bureau de l'assistant-capitaine afin de formuler quelques autres plaintes. Je suis épaulée par un diplomate du consulat britannique venu me visiter. Son nom est Dale Harrison et il en impose. Je veux plus de fruits et un sac de raisins secs par semaine. De plus, je veux pouvoir parler à mon copain tous les sept jours et non aux dix jours. Le capitaine Rachid acquiesce à toutes mes demandes. Il va sans dire que mes camarades de cellule jouiront aussi de ces nouveaux acquis.

Mes demandes peuvent paraître déplacées compte tenu de mon statut de prisonnière, mais je vois que je peux profiter des privilèges que mes contacts me confèrent et je ne m'en gêne pas. Au Qatar, les femmes n'existent que pour faire des bébés et les élever. On ne leur demande rien d'autre et les femmes qui osent rouspéter sont rapidement réprimées et rabaissées. En comparaison avec notre société qui fait des efforts considérables depuis des années pour que la femme soit sur le même pied d'égalité que l'homme, c'est le jour et la nuit. Il est étonnant qu'au XXI⁰ siècle, cela existe encore.

Le 18 janvier, je sors de prison pour aller chercher à un guichet de la Western Union l'argent que Matunga m'a envoyé. Si j'avais des doutes sur l'impact de ma présence dans la prison, ils n'ont plus leur raison d'être : pour l'occasion, un Jeep a été réquisitionné et un gardien et une gardienne m'accompagnent. Tout ça pour que je puisse récupérer mon argent, et, ce, sans la permission de la cour.

Le 19 janvier est jour de fête pour les musulmans : c'est l'Eid qui marque la fin du ramadan. Pour l'occasion, les disciples de Mahomet organisent des repas familiaux où chacun exprime ses meilleurs souhaits et participe à des séances de prières particulières. Le jeûne est terminé, c'est le temps de festoyer.

Jocelyne en profite pour venir me visiter. Elle m'apporte de l'argent et de la crème pour ma peau qui s'assèche de plus en plus. L'aridité du désert met mon épiderme à l'épreuve et je souffre de rougeurs et de démangeaisons intenses. Je soupçonne aussi que l'eau avec laquelle je me lave contient des bactéries auxquelles je ne suis pas habituée. La nuit, je me réveille avec des rages de démangeaisons, comme si je m'étais fait attaquer par des milliers de moustiques en même temps. Après avoir appliqué la crème que Jocelyne m'a apportée, ça va mieux.

Il faut parfois se méfier des demandes que l'on fait, car elles peuvent avoir des répercussions dont on ignore la portée. Je me suis plainte de l'état des cellules au capitaine Rachid et il en a tenu compte. Les gardiennes nous annoncent que le bloc huit sera repeint. Les autorités ont décidé qu'elles commence-raient par le bas. Cela signifie que les Qataries qui y vivent viendront nous rejoindre. Nous étions déjà à l'étroit, nous le sommes encore plus, d'autant que les gardiennes maintiennent qu'il faut absolument séparer les Qataries des autres.

Deux hommes sont chargés de peindre le bas. Parce qu'ils sont dans le même bloc que nous, nous sommes obligées de passer toute la journée enfermées dans les cellules. Et quand nous voulons aller à la salle de bains, nous devons nous couvrir complètement et nous dépêcher. À compter de seize heures, lorsque les ouvriers partent, nous pouvons aller dans la cour.

L'un des plus grands tabous de l'islam, à mes yeux, demeure les relations hommes-femmes et j'en ai la preuve cette fois-là. On est si effrayé dans le bloc huit à l'idée qu'un des peintres voie un bout de peau de femme que cela ressemble à de la paranoïa. Comme si les hommes étaient tous des bêtes poten-tielles et qu'ils allaient se transformer en loups-garous à la vue d'un bout d'épiderme.

Les femmes musulmanes du bloc huit tiennent aussi mordicus à être totalement voilées lorsqu'un homme est dans leur champ de vision. Ce n'est pas une question de pudeur, à mon sens, mais de peur.

Selon l'islam, le fait d'avoir des relations sexuelles sans être marié, ce que l'on appelle de la fornication, et le viol sont considérés sur un même pied d'égalité, et le châtiment peut aller de la lapidation aux coups de fouet en passant par l'amputation de membres à froid. Si une femme se fait violer et qu'elle dénonce son agresseur, elle reconnaît qu'il y a eu relation sexuelle, donc elle peut être accusée de fornication !

Avec mes camarades de cellule, il est impossible de parler franchement de sexualité, mais le sujet, comme un spectre, est presque toujours en filigrane dans les conversations. Et je crois que plusieurs filles du bloc huit ont été victimes de viol, mais aucune n'ose en parler. Si elles reconnaissaient qu'elles ont été agressées sexuellement, cela signifierait qu'elles sont souillées, donc bonnes à rien. Elles préfèrent garder le silence et vivre seules ce traumatisme.

Ici comme au Qatar, le viol est un acte ignoble. Ici, cependant, si une femme se rend à un poste de police pour dénoncer un homme qui l'a violée, sur-le-champ elle est crue, on l'envoie à l'hôpital, on met à sa disposition les services d'un psychologue et on émet un mandat d'arrestation contre l'homme. Au Qatar, c'est comme si la femme était aussi coupable que l'homme. Cela se reflète, nécessairement, dans les comportements.

La société qatarie est à mon avis un peu contre-nature parce qu'elle renie ce que la femme et l'homme sont, c'est-à-dire des êtres faits pour s'aimer. Même s'ils se font marteler depuis leur enfance que la fornication est interdite et sévèrement réprimandée, ils ont des relations sexuelles illicites. Et je n'ose même pas parler de la question de l'homosexualité. Au Qatar, ça n'existe pas ! Et si, par malheur, un homme ou une femme est soupçonné de cet horrible crime, c'est la mort qui l'attend. Comme s'ils vivaient toujours au Moyen Âge.

Parler de ces différences fondamentales est une chose, les vivre en est une autre. Les mois que j'ai passés au Qatar m'ont permis de constater que, dans certains coins du globe, tout reste à faire pour les femmes.

Les ouvriers ont pris un mois et demi pour peindre le bas du bloc huit. Comme la bureaucratie qatarie, ils ont pris tout leur temps. Si on m'avait fourni un pinceau et de la peinture, en une semaine j'aurais pu tout faire seule !

La cohabitation a été pénible. Je pouvais plus difficilement m'éloigner des détenues qui avaient une mauvaise hygiène. Je me rappelle que les gardiennes nous avaient mises en garde contre une Syrienne. Nous ne devions pas la toucher et, surtout, ne pas utiliser la même toilette qu'elle. Elle était malade. Cela, tout le monde pouvait le deviner : elle était constamment couchée et la peau de son visage était verdâtre. Mais elle avait aussi des poux pubiens et des champignons. Chaque fois qu'elle quittait un endroit pour se rendre à un autre, les gardiennes désinfectaient pour qu'il n'y ait pas d'épidémie.

Une fois la peinture du bas séchée, c'est au tour du haut. Nous déménageons toutes. J'espère que, cette fois, ils feront plus vite. Je me trompe. Ils termineront juste un peu avant que j'aie purgé ma peine. Quels paresseux ils étaient ! J'espère pour eux qu'ils étaient payés à l'heure !

Le 7 février 2005, mon avocat retourne à la cour pour porter mon jugement en appel. Le processus existe, mais je me fais dire que les juges ne reviennent jamais sur leur décision initiale, sauf si de nouveaux éléments viennent s'ajouter. L'avocat doit y retourner le 28 février parce qu'ils doivent « penser ». Ce jour-là, sans surprise, mon appel est rejeté.

Considérant que ma peine est minime si je compare aux neuf années que j'aurais pu avoir, je n'en fais pas de cas. Je décide de purger les six mois sans protester.

De nouvelles prisonnières continuent à entrer. Je fais la rencontre d'une prostituée chinoise, LnLm (prononcer Linlam), qui a été dénoncée par un musulman avec qui elle a eu une relation sexuelle. Il n'a pas voulu la payer, elle s'est fâchée. Pour la faire taire pour de bon, il est allé au poste de police et a prétendu qu'elle l'avait sollicité. LnLm s'est défendue en disant qu'il y avait eu relation sexuelle, mais on ne l'a pas crue.

Il y a aussi une Indienne de vingt-cinq ans qui travaillait comme domestique pour un scheik. Elle a beaucoup voyagé avec lui, a visité des pays comme la France, l'Angleterre et l'Espagne. Malheureusement, elle s'est fait prendre en flagrant délit de « fornication ». Le scheik l'a rapportée aux autorités, parce qu'elle était maintenant considérée comme une honte.

Le 19 mars 2005, une nouvelle secoue la prison, autant les prisonnières que les gardiennes : il y a eu un attentat à la bombe à Doha. C'est la seule information qui nous parvient et la nervosité monte d'un cran dans la prison. Avant ce jour-là, le Qatar n'avait pas été touché par les terroristes islamistes. Cela signifie donc que le pays est maintenant devenu une cible, comme les États-Unis ou l'Angleterre. Cela signifie qu'à compter de cette date, il sera périlleux de se promener à Doha, alors qu'auparavant l'idée qu'une bombe explose dans cette ville ne traversait l'esprit de personne.

Avant de nous endormir, nous apprenons qu'il y a eu des morts et beaucoup de blessés. La prison est située à quarante-cinq minutes de Doha, aussi ne nous sentons-nous pas directement menacées. Qui voudrait faire sauter un lieu rempli de « criminels » ? Je me dis que ma malchance ne peut pas aller aussi loin !

Tout le monde a peur, les Qataries, en particulier, sont inquiètes. Elles craignent que l'un des leurs ait été touché par la bombe. Elles ont aussi peur pour leur sécurité lorsqu'elles sortiront.

Le lendemain, nous en apprenons un peu plus. La cible a été le théâtre d'une école britannique. Alors que se tenait une représentation, une automobile bourrée d'explosifs, conduite par un Égyptien, a foncé dans un des murs extérieurs de la bâtisse. L'explosion a été violente. Des témoins affirment avoir vu une boule de feu s'élever dans le ciel quelques secondes après la déflagration. Le feu s'est propagé à des automobiles stationnées aux alentours du théâtre. En tout, il y a eu un mort, un Britannique, et douze blessés.

Au déjeuner, c'est le sujet de conversation. J'apprends que c'est au Qatar que les Américains ont établi leur base pour lancer les premières attaques contre l'Irak avec l'aide des Britanniques. Deux jours avant l'attentat, un des chefs d'Al-Qaïda, dont le commandant est Oussama Ben Laden, avait exhorté les islamiques à s'attaquer à tout ce qui avait des liens, de près ou de loin, avec les Américains et leurs alliés.

Il y a eu des blessés d'origine britannique, qatarie et arabe.

Le 21 mars, enfin, j'ai des nouvelles de l'ambassade canadienne au Koweït : Jean-Jules Renaud vient me visiter. Le capitaine Rachid nous laisse son bureau afin que nous puissions discuter. En quittant, il me laisse quelques bouquins qui vont, espère-t-il, me permettre de passer le temps.

Jean-Jules Renaud est un homme sympathique, là n'est pas la question mais, à mon avis, il aurait pu faire plus pour m'aider. Est-ce normal que l'ambassade britannique se soit davantage intéressée à mon cas que le Canada? J'ai reçu cent fois plus d'aide des Britanniques que des Canadiens. Comment est-ce possible? Y a-t-il eu négligence? Nul doute que j'ai commis un crime: je le reconnais d'emblée. Mais est-ce que cela fait de moi une paria pour autant? Je possède un passeport canadien, je suis Canadienne, en cas de pépin, comme cela a été le cas, n'ai-je pas droit à une aide décente de mon pays? Je me suis sentie complètement délaissée. Mes appels à l'aide successifs ne semblent avoir rien donné. Il a fallu que j'écrive une lettre ouverte, qu'elle soit publiée dans un quotidien et que les médias s'en mêlent pour que ça commence à débloquer. J'ai passé plus d'un an au Qatar, je ne peux pas croire que les fonctionnaires de l'ambassade canadienne n'ont pas eu le temps de réagir! Ma mère a contacté tous les ministères possibles, tous s'en lavaient les mains et prétendaient que ça ne les regardait pas.

Pour ne pas faire preuve de mauvaise foi, je dois dire que le gouvernement canadien, par l'entremise de son ambassade au Koweït, m'a prêté deux cent cinquante dollars. Dès que je suis sortie de prison, alors que j'étais encore au Qatar, on s'est empressé de me faire signer… une reconnaissance de dette! C'est de bonne guerre, mais j'ai constaté que ce n'était pas la délicatesse qui les étouffait.

En aucun cas je n'ai voulu que l'ambassade canadienne parvienne à me faire quitter le Qatar sans que j'aie subi le châtiment relié à mon crime. J'aurais simplement voulu qu'on me supporte de façon soutenue, comme Birgit et Andrew Schmidt l'ont fait ainsi que Jocelyne Charest et Yves Héroux. Ces gens ne me devaient rien et, de leur propre chef, me sont venus en aide. S'ils avaient voulu, ils auraient pu se ficher de mon sort et personne ne leur en aurait tenu rigueur. Je suis chanceuse que Dieu les ait mis sur mon chemin et je le remercie tous les jours pour cette faveur qu'il m'a accordée. Sans eux, Dieu sait comment je m'en serais sortie.

Chaque jour, c'est la même routine. Je ne peux pas sortir de cellule avant seize heures parce que les peintres circulent dans le bloc huit. Je lis donc la Bible, parle avec mes camarades en m'efforçant d'apprendre l'arabe et m'occupe des enfants en bas âge emprisonnés avec leur mère. C'est bon pour mon moral et celui des autres. Les enfants ne se rendent aucunement compte qu'ils vivent dans une prison et leur bonne humeur est contagieuse. Il suffit que l'un d'eux fasse ses premiers pas ou babille un mot pour que s'affiche sur le visage des filles, y compris celui des gardiennes, un sourire pour la journée. Ces enfants n'ont pas manqué d'amour. Nous formions presque une ligne d'attente pour pouvoir nous en occuper. S'il y en avait un qui semblait avoir une poussée dentaire ou des coliques, personne ne se faisait prier pour aller le consoler et le cajoler. Je ne peux que parler pour moi, mais c'était aussi un moyen d'obtenir de l'affection. Lorsque l'on vit en prison, c'est une chose qui manque cruellement. Des petits bras qui vous enserrent le cou ou un visage qui se camoufle sur votre poitrine, c'est bénéfique. On se sent appréciée, on sent que l'on sert à quelque chose.

L'attentat suicide à Doha a provoqué un traumatisme chez les mères qataries : elles se demandent ce que l'avenir réserve à leur progéniture, dans quel monde elle habitera.

Depuis quelques jours, je remarque qu'une bosse se forme sur ma jambe. Lorsque j'y touche, c'est douloureux. J'en parle à l'une des gardiennes et il est décidé que je dois me rendre à l'hôpital. Là-bas, on m'examine et on décrète que je n'ai rien. De mon index, je pointe la bosse : ce n'est pas rien ! Le médecin me réexamine et conclut qu'il s'agit de graisse. Avez-vous déjà vu de la graisse s'accumuler sur une cuisse, durcir et former une protubérance sous la peau ? Moi non plus ! Le médecin prétend que cela va disparaître avec le temps.

Pendant le mois d'avril, la bosse augmente de volume et se fait de plus en plus douloureuse. Je marche en boitant. Lorsque je dors et me retourne la nuit pour changer de position, je me réveille en grimaçant. Gloria, la prisonnière d'origine colombienne, qui est physiothérapeute, me fait des massages et applique successivement des compresses d'eau chaude et d'eau froide. Cela me soulage quelque peu.

Début avril, je réalise qu'il ne me reste plus qu'un mois à purger. Le temps passe si lentement que j'ai l'impression que je ne remettrai jamais les pieds à l'extérieur. La routine implacable de la prison est assommante. Cela me fait penser au travail que j'effectuais avant, dans les réfrigérateurs géants : c'était sans fin. Il y aurait toujours des sandwiches et des pizzas à préparer *ad vitam æternam. Idem* pour la prison. Lorsque j'y pense, une nausée m'assaille et je deviens subitement anxieuse. La vie en prison n'a pas de but, et ne rien faire de constructif, c'est pénible. Un mois… Comment vais-je faire pour y survivre?

Je crains également la justice qatarie. Peut-être qu'elle décidera de prolonger ma peine parce qu'en fin de compte elle ne la trouve pas assez sévère. Et si les juges avaient fait une erreur? S'ils venaient de se rendre compte de la réelle gravité de mon crime? Depuis que j'ai été arrêtée, je vogue de désillusion en désillusion, cela ne me surprendrait pas qu'on me retienne encore quelque temps. Et s'ils décidaient finalement de m'imposer une peine de prison de neuf ans, comme cela est prévu par la loi? J'aurais alors trente ans lors de mon retour au Québec. C'est du délire mais, malgré tout, je garde ma foi en Dieu. Avec les Qataris, je dois m'attendre à tout. Y compris rester dans leur pays plus longtemps que prévu.

Afin de calmer mes angoisses, je donne un coup de fil à mon avocat. Il m'assure que je vais sortir début mai, que les juges ont signé des documents à cet effet. En raccrochant, je suis quelque peu soulagée. Mais je crois que tant et aussi longtemps que je ne serai pas dans l'avion, dans les airs, en direction de Montréal, je vais craindre une mauvaise surprise.

Le 19 avril, j'ai une discussion téléphonique avec ma mère. Je ne lui ai pas parlé depuis le début de ma deuxième incarcération et elle est fort heureuse d'entendre ma voix: elle me croyait morte! Je la rassure et lui dis que tout va bien. Il ne me reste qu'un peu moins de deux semaines avant de reprendre ma liberté. J'ai si hâte de revoir mes proches!

Incroyable! Après avoir peint le bloc huit, l'administration de la prison fait installer des montures de lit avec ressorts sur lesquelles on peut déposer nos matelas. C'est plus confortable que le béton et cela freine les attaques d'insectes pendant la nuit. De plus, nous ne sommes maintenant pas plus de cinq par cellule. Auparavant, on pouvait en entasser le double! Si je compare les conditions de détention présentes avec celles connues lors de ma première détention, c'est le jour et la nuit.

Pendant le dernier mois, les gardiennes se rapprochent de plus en plus de moi. Certaines me font aussi des confidences sur leur vie professionnelle et personnelle. Elles considèrent leur travail déprimant et leur vie, ennuyante. Il n'y a pas de perspectives d'avancement pour elles et la vie des prisonnières qu'elles surveillent ressemble à leur travail : routinier au possible. Je constate que, au fond d'elles-mêmes, elles sont malheureuses. Elles ont réussi à décrocher l'un des seuls emplois où les femmes sont tolérées et c'est le mieux qu'elles peuvent espérer pour s'accomplir professionnellement. Leur salaire est médiocre : soixante dollars par mois, à des lieues de celui des gardiens dans les blocs des hommes. J'ai cru comprendre qu'il pouvait être jusqu'à dix fois plus élevé ; pourtant, elles ont les mêmes tâches. Il n'est pas question d'équité salariale là-bas. En fait, l'équité entre les sexes en tant que telle n'existe pas !

Aussi, nous n'abordons pas franchement leur vie amoureuse parce que c'est tabou, mais elles semblent avoir beaucoup de récriminations envers les hommes. Bref, elles ne sont pas différentes des femmes occidentales ! Les relations amoureuses sont souvent imposées par la famille et si, par malheur, le couple ne peut pas générer de progéniture, la femme est considérée comme une bonne à rien. Comme si l'homme ne pouvait pas être la source du problème ! La femme a l'obligation d'enfanter. C'est son rôle et la société porte un regard très dur sur celles qui osent défier ce modèle. L'une des gardiennes, qui n'a jamais eu de copain et que je soupçonne de préférer les femmes, semble avoir souvent fait l'objet de remarques désobligeantes de la part de sa famille et de ses connaissances. C'est une écorchée vive et je crois qu'il y a beaucoup de colère enfouie en elle.

On me pose régulièrement des questions au sujet du Canada. Lorsque je leur raconte mon mode de vie, les libertés qui nous sont octroyées, les hommes que l'on peut charmer ou non – à ce moment, j'ai vu des joues rougir –, les métiers que l'on peut exercer, leurs yeux s'illuminent. Elles ont du mal à croire qu'une femme, au Canada, peut devenir médecin ou avocate, qu'elle peut s'habiller comme elle le désire et fréquenter les gens qu'elle veut.

Lorsque je leur révèle que je suis partie de la maison familiale à dix-sept ans et que je suis allée habiter en appartement, leurs yeux s'agrandissent.

Elles me disent que je suis chanceuse. Après avoir passé plus d'un an au Qatar, elles n'ont pas à insister pour que je les croie.

Elles rêvent toutes de s'établir un jour au Canada et de vivre une vie exempte de contraintes. Elles rêvent d'avoir un salaire décent qui leur permettra de se payer, de temps en temps, une douceur. Elles rêvent d'être affranchies de leur famille qui leur impose des restrictions dans tous les aspects de leur vie. Elles rêvent d'être libres. Elles rêvent d'être femmes. Elles rêvent d'être des êtres humains à part entière.

Même si je ne suis pas la plus bavarde du groupe, il m'arrive parfois de m'impliquer dans une discussion avec mes camarades de cellule qui, inévitablement, évoluent vers mon mode de vie au Québec. Elles me posent des questions sur ce qu'est la vie en Amérique du Nord. Je ne veux pas tomber dans les clichés les plus éculés, mais l'*American Dream*, comme on l'appelle, est un fantasme répandu. Dès que je fais mention de tous les services auxquels nous avons accès, je constate que j'arrive à capter l'attention de toutes. Même les gardiennes s'approchent pour mieux entendre. Certes, elles ont une image idéalisée de notre vie, transmise par la télévision et le cinéma, notamment. Je les comprends de rêver. Même sans avoir été élevée en respectant les principes de l'islam et après avoir goûté aux deux mondes, je peux me permettre d'affirmer que nous sommes choyés au Québec.

Parlant de la Belle Province, les jours s'écoulent et mon retour devient de plus en plus concret.

ENFIN !

À partir du 20 avril, Mama Aïcha, la responsable des gardiennes, me parle ouvertement de mon départ de la prison. Elle me dit qu'après avoir discuté avec le capitaine Rachid, mon départ pourrait être devancé au 28 avril, alors qu'il était prévu initialement le 1er mai. Cela me fait plaisir, mais je préfère me dire que je partirai le premier jour du mois de mai pour ne pas me faire de fausses joies.

Le 25 avril, Mama Aïcha se ravise : je sors le 3 mai. Je riposte : non, on a toujours parlé du 1er mai, il n'a jamais été question que cela se passe deux jours plus tard. Mama Aïcha revient : j'ai raison, je vais sortir à la date prévue.

Les derniers jours sont moins pénibles que je ne le pensais et passent à une vitesse folle. Tout d'un coup, je réalise que je ne reverrai plus mes camarades de cellule et cela m'attriste. Quant à certaines, cependant, je suis contente de ne plus être obligée de les fréquenter. Mona, par exemple, même si nous avons fait la paix et qu'elle ne m'a plus attaquée, semble rongée de hargne et de colère. Je suis persuadée que, dès que l'occasion se présentera, elle deviendra de nouveau mesquine.

Le 1er mai, enfin, arrive. Je me lève le matin et profite des derniers instants avec mes camarades. Pendant le déjeuner, avec elles, je ris de bon cœur. Elles savent que je sors aujourd'hui et la plupart semblent heureuses pour moi.

Je retourne dans ma cellule et prépare mes bagages. Je me sens exaltée. Après toutes ces journées de désespoir et de déprime, finalement, c'est terminé. Je crois ne jamais m'être sentie aussi en paix de ma vie. Je m'assois sur mon lit et je décide d'attendre que l'on vienne me chercher. Après le dîner, plus les minutes s'écoulent, plus j'angoisse. Il ne se passe rien !

Il y a quelque chose qui cloche, c'est sûr. Je commence à paniquer. Je fais part de mes inquiétudes aux gardiennes. Elles haussent les épaules, ne savent pas quoi me dire. Tant qu'elles n'auront pas reçu l'ordre provenant de la cour de me rendre ma liberté, je dois rester. Il n'est pas question que je demeure plus longtemps ici !

Affolée, je vais voir Mama Aïcha et plaide ma cause. Elle a la même réponse : elle n'a pas reçu l'ordre de me libérer. Les larmes commencent à couler sur mes joues ; je ne veux pas passer une autre nuit ici. Je vais voir le capitaine Rachid. En voyant mon visage défait, il me demande si je vais bien. Non, lui réponds-je, pas du tout. De mon dossier il extirpe une feuille de papier sur laquelle il est écrit qu'effectivement, je quitte le 1er mai. Il ne comprend pas. Il voit que je m'apprête à m'énerver, il me fait signe d'attendre quelques minutes. Il décroche le combiné de son téléphone et compose un numéro.

J'ignore avec qui il parle, mais la discussion est animée. Dans la conversation, il m'appelle la « Canadienne ». Il affirme que je dois absolument quitter aujourd'hui. La réponse de la personne au bout du fil ne le satisfait pas, il hausse le ton. Il parle du consulat britannique, de « conséquences ». Il me fait signe de sortir.

Quinze minutes plus tard, lesquelles m'ont paru des heures, le capitaine Rachid sort de son bureau. Son visage est couvert de sueur. Il me dit : « *Bye, Sophie, you can go now* ». Avant de le quitter, il me demande si ce serait possible pour moi, lorsque j'aurai un instant, de lui envoyer une lettre afin de lui faire part des choses qui, à mon avis, pourraient être améliorées dans sa prison.

Je peux enfin respirer. Mama Aïcha esquisse un sourire et, pour la première fois, pose un geste qui démontre de l'affection : elle pose une main sur mon épaule.

Je vais saluer toutes les détenues. Je passe un petit moment à câliner les enfants. De la prison, ce sont les seuls qui vont me manquer. Et cela me chagrine de ne pas pouvoir les voir grandir. Je pleure, mais cette fois de bonheur.

Mama Aïcha vient me chercher. Elle me demande si je suis prête. Elle n'a pas besoin que je lui fournisse de réponse : mon sourire lui en donne une. J'enfile mon hijab et salue une dernière fois mes camarades.

Un autobus me ramène à Doha et me dépose en face de l'édifice du Ministère public. J'y rencontre Mohammed, un fonctionnaire, qui remplit une tonne de paperasse. Avant de me la faire signer, il m'explique que le Qatar considère maintenant que j'ai payé la «dette» que je lui devais et que je n'ai pas le droit de remettre les pieds dans le pays au cours des deux prochaines années. Je lui assure que je n'en ai pas l'intention! Il me demande si j'ai mon billet d'avion. Non, c'est une amie, Jocelyne, qui s'en occupe. J'appose ma griffe là où il le désire et, en quittant, il me souhaite bonne chance.

Avec les documents, on me dit de me rendre au poste de police, là où je pourrai reprendre possession de mon passeport. Je remets les papiers à une policière qui maugrée en les lisant. D'un geste du doigt, elle me demande d'aller m'asseoir. J'attends. J'attends encore et toujours.

Elle revient et, en colère, affirme que je dois retourner en prison parce que cela prend au minimum deux jours avant de remplir tous les documents nécessaires. Vigoureusement, je fais non de la tête et pointe du doigt la date inscrite sur les documents: 1er mai. Elle s'obstine: je suis sortie trop tôt.

Elle appelle un de ses camarades. Elle jette les papiers devant lui et commence à crier. Plus la discussion avance, plus je me dis que je vais devoir retourner en prison. Le policier lui fait des signes de bras puis disparaît. La policière signe quelques documents avec une telle hargne qu'elle transperce le papier.

Le policier revient avec une enveloppe. Il la décachette devant moi et sort mon passeport qu'il me remet. La policière me demande de la suivre.

Je lui demande où nous allons. Elle répond: «La déportation.» Les souvenirs que j'ai de cet endroit sont mauvais. Je ne veux pas me retrouver là. Elle réplique que je n'ai pas le choix parce qu'il m'est interdit de circuler dans Doha. C'est le seul endroit où je peux aller.

Je n'ai pas mes bagages et pas d'argent. Je lui demande quelles sont les prochaines étapes, mais elle l'ignore. Son travail est de me livrer à la déportation et il s'arrête là.

L'endroit est exigu et rempli de gens: une centaine de personnes, au moins, attendent d'être renvoyées de leur pays.

Il y a différentes nationalités. Je me fraye un chemin au travers des gens qui sont assis par terre et fixent le vide. Je me trouve un coin. En m'asseyant, je relève les yeux et remarque un peu plus loin qu'une des détenues qui était en prison avec moi se trouve là: c'est LnLm, la prostituée chinoise. Je ne comprends pas comment il se fait qu'elle soit ici, il y a, à mon sens, longtemps qu'elle a quitté la prison. Elle confirme mes doutes: elle est en déportation depuis deux mois! Elle me montre ses seuls biens: une couverture et un sac.

Cela me rend nerveuse. Après neuf mois dans une chambre d'hôtel et six mois dans une prison, combien de temps vais-je croupir dans ces lieux lugubres?

Je demande aux responsables la permission d'appeler. La réponse est catégorique: c'est non.

Désespérée et fatiguée, je m'assois sur une chaise et tâche de m'endormir. À quatre heures et demie du matin, on cogne durement à la porte. Le déjeuner est servi. Je n'ai pas faim, mais me force tout de même à avaler ce qu'il y a dans mon assiette parce que je sens que la journée sera longue. J'ignore ce que c'est, mais c'est mangeable.

Je me rends au guichet et demande une autre fois le droit de téléphoner. On me dit sèchement d'attendre.

À dix heures et quart, je parviens à joindre Jocelyne. Je lui raconte ce qui s'est passé et lui demande si elle a une idée de la suite. Elle me dit qu'elle va passer quelques coups de fil et me rappeler.

Une heure plus tard, elle m'apprend que mes bagages sont en route pour l'aéroport et, après avoir tout synchronisé avec le Ministère public et le consulat, elle m'annonce que mon avion décolle à vingt-deux heures cinquante. En raccrochant, je n'arrive pas à réaliser que ce cauchemar sera bientôt terminé.

Le voyage entre Dubaï et Montréal, après une escale à Amsterdam, est vague dans ma mémoire. Je n'ai souvenir de rien. J'ai vraiment eu l'impression de vivre dans une autre dimension.

Ma mère m'a avertie que, à mon arrivée à l'aéroport Pierre-Elliott-Trudeau, elle serait là pour m'accueillir, ainsi que des représentants de plusieurs médias.

À seize heures trente, le 4 mai, l'avion atterrit à Montréal. Dès que je vois ma mère, mon frère Clément et ma sœur

Magali au bout d'un corridor, les battements de mon cœur s'accélèrent. Ma mère me dit que je suis belle et m'enlace. C'est à ce moment précis que je réalise que toute cette malheureuse aventure est terminée.

Lorsque je vois la horde de médias qui m'attend, je n'en reviens pas. Il y a des microphones et des caméras partout et on me pose des questions en rafales. Pendant la conférence de presse, je reste plutôt vague, notamment parce que je suis assommée par l'intérêt qu'on me porte.

J'ai commis une erreur que je ne me pardonnerai jamais: j'ai oublié de remercier tous les gens qui me sont venus en aide.

Je vais souper avec ma mère et, par la suite, vais rejoindre Matunga dans l'appartement de Montréal qu'il partage avec sa cousine.

Cette nuit-là, je dors bien et aucun insecte ne vient me réveiller.

APRÈS LA PLUIE...

Après mon arrivée au Québec, je suis restée quelques semaines à Montréal, puis j'ai décidé de retourner à Sherbrooke pour, je l'espérais, repartir à zéro. Mais cela a été plus compliqué que je ne le pensais.

À mon corps défendant, je suis devenue une personnalité publique, ce qui fait que, lorsque je vais faire mes emplettes, par exemple, on me reconnaît. Lorsque cela arrive, il est plutôt rare que l'on vienne me parler ; on préfère plutôt me dévisager comme si j'étais une bête de cirque. C'est assez désagréable.

Lorsque l'on m'aborde, les gens sont gentils, mais il me faut leur raconter ma « vraie » histoire. Effectivement, j'ai constaté assez rapidement que des rumeurs folles à mon sujet ont couru lorsque je n'étais pas au pays. J'espère de tout cœur que ce livre rétablira les faits une fois pour toutes.

Je crois que le peu d'information qui a été fourni a contribué à créer des malentendus. Je n'ai donc pas été victime d'un gang de rue, comme l'ont raconté plusieurs personnes, dont ma mère. J'ai été entraînée par des gens malintentionnés et jamais ils ne m'ont tordu un bras pour que j'aille encaisser des chèques de voyage au Qatar. J'ai pris la décision d'y aller, je suis donc responsable de mon malheur.

Le récit que vous venez de lire constitue la vérité, ma vérité. C'est mon histoire, telle que je l'ai vécue. Toute autre information qui proviendrait d'une autre source et qui contredirait mes affirmations peut donc être considérée comme fausse et mensongère. Le livre que vous tenez dans vos mains est mon témoignage et je suis l'une des seules à connaître la vérité.

Certains diront qu'il s'agit d'une erreur de jeunesse. D'autres affirmeront que je n'ai eu que ce que je méritais. Leur opinion m'importe peu, pourvu qu'ils aient pris connaissance de ma version des faits. S'ils émettent un jugement sur ce qui s'est produit sans en connaître tous les tenants et aboutissants, leur opinion ne vaut rien.

Dans l'épreuve que je viens de passer, j'ai fait preuve d'une grande naïveté et, surtout, d'un appât du gain qui m'a jetée dans la fosse aux lions. Toute ma vie, j'ai vécu dans un environnement rongé par les problèmes financiers. J'ai cru qu'enfin, avec l'offre qu'un presque inconnu m'a faite, cette malédiction allait prendre fin. Je suis allée trois fois au Qatar avant de me faire prendre. Dieu m'a fait signe, mais l'argent m'a empêchée de remarquer ses avertissements. Je suis la seule à blâmer.

À moins de gagner un gros montant d'argent au loto ou d'hériter d'un défunt, tout autre moyen pour faire un coup d'argent aussi aisément, à mon sens, doit être considéré comme suspect, pour ne pas dire potentiellement illégal. Il faut se demander dans ces cas si le jeu en vaut la chandelle. La réponse est non.

Les gens qui m'ont piégée ont cerné rapidement mon envie et mon besoin d'argent et ils n'ont eu qu'à tendre l'hameçon pour que j'y morde. Mon entrée dans le monde adulte s'est faite à la dure : je me suis fait embobiner et les conséquences ont été graves. Ces mois passés au Qatar et en prison resteront gravés dans ma mémoire à tout jamais. Il faut se méfier des beaux parleurs. Je me dis que ces salauds vont un jour payer pour toutes les filles qu'ils ont exploitées avec indifférence et cruauté. Pour ma part, je considère n'avoir plus de dette envers la société qatarie. En outre, si ma présence a pu contribuer à améliorer l'environnement dans lequel vivent les prisonnières, cela me ravit.

Je suis de retour depuis maintenant plus de trois mois et je dois avouer que je vis des moments difficiles. À quelques reprises, je me suis présentée à des entrevues d'emploi et on m'a clairement signifié qu'on ne voulait pas engager une « criminelle ». Pourtant, au Canada, mon dossier judiciaire est vierge.

D'un point de vue personnel, là aussi, c'est cahoteux. Je suis toujours avec mon amoureux. Je tiens d'ailleurs à le remercier d'être toujours à mes côtés et je le félicite aussi pour le courage dont il a fait preuve lorsqu'il est venu à Doha pour me venir en aide. Notre relation engendre, pour une raison qui m'échappe, beaucoup de haine. Effectivement, parce que Matunga est Noir, il est l'objet d'insultes à connotation raciale, ce qui me peine énormément. Il s'est fait traiter de « sale nègre » à plusieurs occasions, et ce, même s'il n'a rien à voir avec ce qui s'est passé, hormis le fait d'être mon amoureux. Il n'y a pas longtemps, alors que nous étions dans un supermarché, il a été pris à partie par deux jeunes hommes sans raison apparente.

Je me suis rendu compte qu'à Sherbrooke, notamment, mon histoire a créé quelques légendes urbaines qui entretiennent des préjugés défavorables à l'endroit des Noirs. Parce que je fréquente un Africain, plusieurs personnes ont pensé qu'il était le responsable de mes malheurs. C'est comme s'ils avaient conclu qu'il trempait nécessairement dans des affaires louches parce qu'il n'était pas Blanc. C'est un comportement rétrograde qui me donne mal au cœur. Le racisme, même en 2005, existe. Je peux en témoigner.

Matunga a perdu son emploi parce que son image a été diffusée à la télévision dans le cadre d'un reportage à mon sujet. Un de ses supérieurs l'a reconnu et lui a montré la porte parce qu'il ne voulait pas que l'entreprise pour laquelle il travaillait soit reliée, de près ou de loin, à des activités criminelles. C'est insensé. Voilà ce que l'ignorance provoque : des injustices. Malgré tout, Matunga continue à m'aimer. Et moi de même.

Qu'en est-il de mon avenir ? J'ai dix-neuf ans et l'avenir m'appartient. Je veux terminer mon secondaire et décrocher un emploi. Je veux aussi avoir des enfants et mener une vie normale. Et je désire, entre-temps, que l'on me donne l'opportunité de raconter mon histoire afin qu'une aventure comme la mienne ne se répète pas. Je vais me faire un devoir de mettre en garde les jeunes et les moins jeunes contre les manipulateurs professionnels qui vendraient père et mère pour faire de l'argent parce que trop lâches pour travailler comme tout un chacun.

Il faut se rendre compte que ce n'est pas parce qu'on fait un geste qu'on croit légal qu'il l'est nécessairement. Et même devant un juge, cet argument ne tient pas. Il ne manquera pas de nous faire payer pour notre supposée naïveté. Il n'y a pas de raison d'ignorer la loi.

Cette expérience m'a aussi permis, je dois l'avouer, de découvrir la grandeur, la bonté, la grâce et la miséricorde de Dieu.

Je suis une fille ordinaire qui a vécu quelque chose d'extra-ordinaire. J'espère que cela pourra servir de leçon à quelqu'un, quelque part. Prisonnière au Qatar j'ai été. Prisonnière au Qatar je ne suis plus.

Transcontinental
IMPRESSION
IMPRIMERIE GAGNÉ